VOLUME 8

SUD DE LA FRANCE

D1113512

LES ÉDITIONS **TRANScript** PUBLISHING

ISBN 2-921488-38-8

BORDEAUX

La diversité des vins de Bordeaux étonne toujours. Le Bordelais compte plusieurs centaines de crus, dont la plupart ont leur histoire et leurs particularités. Les fameux vignobles du Médoc, des Graves, de l'Entre-Deux-Mers, de Pomerol et de Saint-Émilion entourent la ville. Il n'est pas question de faire pousser autre chose que des vignes autour de Bordeaux... Le seul endroit où il n'en pousse pas est l'estuaire de la Gironde. Mais il est célèbre pour ses huîtres : huîtres grises, huîtres portugaises, huîtres plates, dites «gravettes». On les prépare de bien des manières dans la région, y compris chaudes, frites ou farcies à l'échalote dans une sauce au vin blanc, accompagnées de saucisses épicées.

L'alose n'est pas seulement bordelaise, mais c'est dans cette région qu'on l'apprête particulièrement bien au gril. La lamproie, une variété d'anguille,

Le tri des huîtres en Bordelais

3

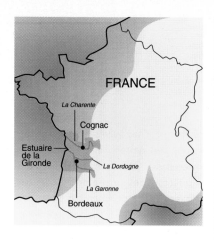

La pêche du créat est sévèrement réglementée. Malheureusement, il devient rare dans les eaux polluées de la Gironde.

Si la ville elle-même, ses terres environnantes et l'estuaire ne produisent en général que du vin et des produits de la pêche, les régions qui les entourent sont fertiles et produisent des légumes et de la viande de grande qualité. La terre noire de la région des Landes fournit des pommes de terre et des artichauts, souvent utilisés pour garnir les spécialités du pays comme le poulet au vin blanc ou encore les champignons farcis. Des Landes proviennent aussi les confits et les foies gras, produits des oies qu'on gave à la purée de maïs. Le foie gras est souvent truffé avec les truffes de la vallée de Dordogne.

Le mouton et l'agneau sont élevés près des marécages salés de la ville de Pauillac et de la rive gauche de la Gironde. Le bœuf et le veau sont élevés plus au nord, au milieu des prairies des Charentes. Cette région est aussi renommée pour son cognac et son armagnac, et les terres produisent beaucoup de fruits comme les prunes et le melon charentais, délicatement rosé.

aussi laide à voir que bonne à manger à la sauce bordelaise, est appréciée depuis des siècles.

La Gironde produit aussi du caviar. De mars à juin, l'esturgeon, qu'on appelle «créat» dans la région, remonte l'estuaire jusqu'au bec d'Ambès pour pondre. Aux dires des spécialistes, ce caviar de Gironde est en tous points comparable à celui de Russie ou d'Iran. Il commence à être connu et apprécié.

La vallée de Garonne et la région Béarn-Basque sont reconnues pour leurs tomates de Marmande et les fraises de la ville d'Agen. Les marchés de la ville de Bordeaux offrent donc les meilleurs produits de ce coin de France. C'est aussi à Bordeaux qu'est née Marie Brizard, à qui l'on doit l'anisette, liqueur encore fabriquée par l'entreprise qu'elle fonda et qui est employée dans beaucoup de recettes locales comme les crêpes à l'anisette. ■

■ SOUPE à l'OIGNON de la GIRONDE

Cette version de la soupe à l'oignon traditionnelle est plus onctueuse et d'un goût plus raffiné.

• *50 min*
• *6 personnes*

6 gros oignons ou 12 petits tranchés finement
75 mL (1/3 de tasse) de gras de poulet ou de saindoux
1 bonne pincée de thym séché
sel et poivre noir fraîchement moulu
1,5 L (6 1/2 tasses) de bouillon de poulet ou de veau
3 jaunes d'oeufs
2 mL (1/2 c. à thé) de vinaigre de vin blanc
6 tranches de pain croûté rendues croustillantes au four puis frottées avec 1/2 gousse d'ail

● Faire cuire les oignons de 15 à 20 min dans le gras, à couvert, jusqu'à ce qu'ils soient tendres. Remuer de temps en temps.
● Lorsqu'ils sont tendres sans être brunis, ajouter le thym, du sel et du poivre. Remuer la casserole, ajouter le bouillon et amener le tout à ébullition. Couvrir et faire mijoter de 15 à 20 min à feu doux.
● Battre les jaunes d'oeufs jusqu'à ce qu'ils pâlissent, ajouter le vinaigre et battre de nouveau. Incorporer peu à peu l'équivalent d'une louche de soupe chaude au mélange.
● Retirer la casserole du feu et incorporer le mélange de jaunes d'oeufs. Faire chauffer la soupe à feu doux sans la faire bouillir, rectifier l'assaisonnement et servir avec les tranches de pain croustillantes.

Soupe à l'oignon de la Gironde

■ AUBERGINES FARCIES

• *2 h*
• *4 personnes*

2 aubergines bien fermes de 300 g (11 oz) chacune
60 mL (4 c. à tab.) d'huile
1 gros oignon haché fin
15 mL (1 c. à tab.) de pâte de tomate
250 g (8 oz) de jambon ou de restes de viande cuite, hachés fin
60 mL (4 c. à tab.) de vin blanc
45 mL (3 c. à tab.) de chapelure

● Couper la queue des aubergines. Les couper en deux dans le sens de la longueur. Faire de profondes entailles en croix dans la chair, en prenant soin de ne pas traverser la peau. Saupoudrer généreusement de sel l'intérieur des aubergines et les laisser reposer 45 min, la peau en-dessous.

● Faire chauffer 30 mL (2 c. à tab.) d'huile dans une casserole et y faire revenir l'oignon à feu moyen jusqu'à ce qu'il soit transparent. Ajouter alors la pâte de tomate et la viande ou le jambon hachés, le vin blanc, saler et poivrer légèrement et retirer du feu.

● Faire chauffer le four à 190 °C (375 °F). Presser les demi-aubergines pour éliminer toute l'eau salée, bien les éponger et les disposer dans un plat à rôtir. Enduire la partie coupée avec la moitié du reste de l'huile.

● Partager la farce en quatre et en garnir les demi-aubergines. Les saupoudrer de chapelure et les arroser du reste de l'huile. Couvrir le plat d'une feuille de papier aluminium, le glisser au four et laisser cuire environ 1 h.
Les servir en entrée ou comme repas léger.

● ●

■ CHAMPIGNONS FARCIS à la BORDELAISE

• *25 min*
• *4 personnes*

2 gousses d'ail écrasées
1,25 L (5 tasses) de cèpes ou de gros champignons
2 petites échalotes françaises ou 1 petit oignon haché finement
30 mL (2 c. à tab.) de persil haché
60 mL (4 c. à tab.) de chapelure
60 mL (4 c. à tab.) d'huile d'olive
30 mL (2 c. à tab.) de jus de citron

● Détacher les têtes des pieds des cèpes. Essuyer soigneusement les têtes avec du papier absorbant. Retirer la partie sableuse des pieds et les essuyer également. Hacher finement les pieds des champignons et mélanger avec les échalotes, le persil haché, l'ail et la chapelure.

● Faire chauffer l'huile dans une grande poêle et y faire cuire les têtes de champignons à feu très doux. Éviter de les laisser brunir ou ramollir. Lorsqu'elles sont à moitié cuites, les écarter avec une spatule vers les bords de la poêle et ajouter la préparation aux échalotes au centre de la poêle.

● Laisser cuire doucement pendant 5 min en remuant de temps en temps. Secouer la poêle, saler, poivrer et arroser de jus de citron. Disposer les têtes de champignons sur un plat de service; les recouvrir du hachis de champignons et d'échalotes, et servir.

● ●

■ PÉTONCLES à la BORDELAISE

*Voici une façon simple et originale de préparer les pétoncles ou coquilles Saint-Jacques.
Les servir en entrée ou comme repas léger, accompagnés de pommes de terre en purée,
d'une salade verte et du reste du bordeaux blanc utilisé pour la cuisson.*

- *45 min*
- *4 personnes*

450 g (1 lb) de pétoncles
75 mL (1/3 de tasse) de beurre
6 échalotes émincées
45 mL (3 c. à tab.) de cognac
**15 mL (1 c. à tab.) de pâte de
    tomate**
1 petite gousse d'ail écrasée
sel et poivre noir fraîchement moulu
**60 mL (1/4 de tasse) de bordeaux
    blanc**

● Laver les pétoncles à l'eau froide,
les éponger et les couper en deux
horizontalement.
● Faire fondre le beurre à feu doux
dans une poêle. Y ajouter les échalotes
et les laisser cuire jusqu'à ce qu'elles
soient devenues translucides.
● Ajouter alors les pétoncles et
augmenter légèrement le feu pour que
le beurre grésille. Laissez cuire de 4 à
5 minutes. Pendant ce temps, faire
chauffer le cognac, l'enflammer et le
verser en flammes sur les pétoncles en
secouant énergiquement la poêle.
● Ajouter la pâte de tomate et l'ail.
Mélanger délicatement. Saler, poivrer
et arroser de vin blanc. Laissez mijoter
de 6 à 7 min en remuant doucement.
● Laver 4 grandes coquilles à l'eau
bien chaude. Répartir les pétoncles
entre les 4 coquilles chaudes. Faire
légèrement réduire la sauce à feu vif;
filtrer la sauce, en napper les coquilles
et servir.

Pétoncles à la bordelaise

7

■ ENTRECÔTES à la SAUCE BORDELAISE

La moelle extraite des os est essentielle à la subtilité de cette sauce au vin rouge. Demander au boucher de couper un os à soupe en larges rondelles pour pouvoir en extraire la moelle plus facilement.

* trempage des os : 5 h + 1 h 15 min
* 4 personnes

1 os à soupe coupé en larges rondelles
3 échalotes hachées très fin
250 mL (1 tasse) de vin rouge
1 branche de thym ou 5 mL (1 c. à thé) de thym séché
1/2 feuille de laurier
sel et poivre noir fraîchement moulu
75 mL (1/3 de tasse) de beurre
60 mL (1/4 de tasse) de farine tout usage
250 mL (1 tasse) de bouillon
quelques gouttes d'huile
2 entrecôtes de 2,5 cm (1 po) d'épaisseur
15 mL (1 c. à tab.) de persil haché

● Faire tremper les morceaux d'os 5 h dans une casserole d'eau froide. Égoutter, recouvrir d'eau fraîche. Sans mener à ébullition, pocher à feu moyen 15 minutes. Égoutter puis, à la cuillère, retirer la moelle des os. Mettre de côté 60 mL (1/4 de tasse) de moelle coupée en dés et garder au chaud.

● Mettre les échalotes dans une casserole avec le vin rouge, le thym et le laurier. Saler. Faire cuire à feu doux jusqu'à ce que le liquide ait réduit de moitié.

● Faire fondre 25 mL (1 1/2 c. à tab.) de beurre dans une casserole; le saupoudrer de farine et mélanger à la cuillère en bois jusqu'à ce que la farine blondisse. Arroser peu à peu avec le bouillon et porter à ébullition sans cesser de remuer. Laisser cuire 10 min à feu doux.

● Retirer le thym et le laurier de la casserole contenant le vin rouge. Verser la réduction de vin et d'échalotes sur la sauce précédente; mélanger, saler et poivrer, laisser cuire encore 10 min à feu très doux.

● Faire chauffer le four à gril. Huiler les entrecôtes à l'aide d'un pinceau et les faire cuire de 3 - 4 min de chaque côté.

● Disposer les entrecôtes sur un plat. Saler et poivrer. Ajouter le persil haché à la sauce ainsi que le reste du beurre en noisettes. Mélanger. Ajouter les dés de moelle et napper les entrecôtes de cette sauce.

● Servir sans attendre.

> *Servir avec un bordeaux rouge.*
> *Un Saint-Émilion bien corsé*
> *est tout indiqué.*

● ● ● ● ● ● ● ● ● ● ● ● ● ● ● ● ● ● ● ●

■ HARICOTS à la SAUCE TOMATE

• *trempage : 10 h + 2 h*
• *4 personnes*

250 mL (1 tasse) de haricots secs
60 mL (4 c. à tab.) d'huile
1 oignon haché
sel et poivre fraîchement moulu
1 boîte de 396 mL (14 oz) de tomates
   en conserve égouttées et hachées
   1 pincée de thym séché
1 feuille de laurier
1 pincée de muscade
15 mL (1 c. à tab.) de persil haché

● Mettre les haricots dans un bol, les couvrir d'eau froide et les laisser tremper pendant 10 h.
● Faire chauffer 45 mL (3 c. à tab.) d'huile dans une grosse casserole. Ajouter les haricots et remuer pour recouvrir les haricots d'huile. Couvrir d'eau froide. Porter à ébullition puis réduire le feu et laisser cuire pendant 1 h 30 min en ajoutant si nécessaire de l'eau en cours de cuisson. Saler à la fin de la cuisson.
● Faire chauffer le reste de l'huile dans une cocotte. Y faire revenir les oignons, les laisser blondir, puis ajouter les tomates, le thym, le laurier et la muscade. Saler et poivrer. Couvrir et laisser cuire à feu doux pendant 30 min.
● Lorsque les haricots sont cuits, les égoutter et les verser dans la cocotte, mélanger et laisser cuire pendant encore 10 min.
● Retirer la feuille de laurier. Verser les haricots et leur sauce dans un plat creux, saupoudrer de persil et servir chaud.

■ POULET au VIN BLANC

La garniture d'artichauts et de pommes de terre est traditionnelle dans la cuisine bordelaise.

- *1 h 15 min*
- *4 à 6 personnes*

75 mL (1/3 de tasse) d'huile
75 mL (1/3 de tasse) de beurre
1 poulet de 1,5 kg (3 1/4 lb)
      coupé en 6 morceaux
125 mL (1/2 tasse) de bouillon de
      volaille
200 mL (7/8 de tasse) de
      bordeaux blanc sec
30 mL (2 c. à tab.) de pâte de
      tomate
2 gousses d'ail écrasées
sel et poivre
30 mL (2 c. à tab.) de jus de citron
2 pommes de terre moyennes,
      pelées et tranchées finement
2 oignons moyens tranchés
      finement
400 g (14 oz) de coeurs
      d'artichauts en conserve,
      égouttés et tranchés

● Faire chauffer à feu moyen 45 mL (3 c. à tab.) d'huile et 25 mL (1 1/2 c. à tab.) de beurre dans une cocotte. Y faire dorer le poulet sur toutes ses faces.

● Verser le bouillon de volaille et le vin dans la cocotte. Ajouter la pâte de tomate et l'ail. Mélanger, porter à ébullition. Saler et poivrer, couvrir et laisser mijoter pendant environ 40 min.

● Faire chauffer le four à 100 °C (200 °F). Faire chauffer 30 mL (2 c. à tab.) d'huile et 25 mL (1 1/2 c. à tab.) de beurre dans une poêle à fond épais. Y faire cuire les pommes de terre et les oignons à feu doux en les faisant sauter de temps en temps. Saler et poivrer.

● Faire fondre 25 mL (1 1/2 c. à tab.) de beurre dans une poêle et y faire cuire les coeurs d'artichauts à feu doux, en remuant de temps en temps.

● Quand le poulet est cuit, le disposer dans un plat de service et garder au chaud. L'entourer des pommes de terre, des quartiers d'artichauts et des anneaux d'oignon. Dégraisser la sauce et la faire chauffer.

● Napper le plat de sauce et servir très chaud; réchauffer quelques minutes au four, recouvert de papier d'aluminium, si désiré.

> *Servir ce plat de réception*
> *avec le même bordeaux blanc*
> *utilisé pour la cuisson.*
> *Par exemple, un Entre-Deux-Mers.*

■ CRÊPES à l'ANISETTE

• *préparation et cuisson : 45 min*
• *repos de la pâte : 2 h*
• *4 personnes*

350 mL (1 1/2 tasse) de farine
250 mL (1 tasse) de sucre
1 pincée de sel
45 mL (3 c. à tab.) de beurre fondu
2 oeufs
350 mL (1 1/2 tasse) de lait
15 mL (1 c. à tab.) d'huile
60 mL (4 c. à tab.) d'anisette
huile ou beurre fondu pour graisser

● Mélanger la farine, le sucre et le sel dans un bol et former un puits. Battre les oeufs avec le lait et verser le mélange dans le puits. Ajouter l'huile, le beurre fondu, la moitié de l'anisette et mélanger à la fourchette en incorporant progressivement la farine. Continuer à battre jusqu'à ce que toute la farine soit incorporée et forme une pâte fluide et onctueuse. Couvrir et laisser reposer 2 h.

● Faire chauffer une poêle de 15 cm (6 po) de diamètre. Tremper du papier absorbant dans le beurre fondu ou l'huile et en frotter la poêle. Verser 15 - 30 mL (1 - 2 c. à tab.) de pâte dans la poêle (juste assez pour en napper le fond). Faire cuire à feu moyen. Quand des bulles commencent à se former à la surface, retourner la crêpe avec une spatule flexible ou en la faisant sauter et la laisser cuire de l'autre côté. Lorsque la crêpe est juste cuite, la retirer de la poêle et la plier en quatre. La garder au chaud. Faire cuire toutes les crêpes de la même façon en beurrant la poêle à chaque cuisson.

● Ranger les crêpes sur un grand plat de service chaud supportant la chaleur. Faire chauffer le reste de l'anisette. L'enflammer et la verser en flammes sur les crêpes. Soulever celles-ci à l'aide d'une spatule pour permettre à l'alcool de brûler parfaitement. Servir aussitôt.

Crêpes à l'anisette

● ●

■ MILLAS GIRONDIN

Ce flan léger à souhait saura clore un repas fastueux en beauté. Si désiré, saupoudrer de cassonade avant de servir.

- *30 min + cuisson : 35 min*
- *6 personnes*

**2 gros oeufs, jaunes et blancs
   séparés**
500 mL (2 tasses) de lait
**75 - 90 mL (5 - 6 c. à tab.) de
   farine**
45 mL (3 c. à tab.) de sucre
sel
8 amandes mondées
**quelques gouttes d'essence
   d'amandes**
beurre pour graisser le moule
**doigts de dame arrosés d'un peu
   de cognac (facultatif)**

● Battre les jaunes d'oeufs avec 45 mL (3 c. à tab.) de lait et laisser reposer. Tamiser la farine, le sucre et 1 pincée de sel. Y incorporer les jaunes d'oeufs.

● Passer les amandes au robot, au mélangeur ou au moulin à café. Les ajouter au reste du lait et porter à ébullition. Verser le lait bouillant en remuant sur le mélange précédent. Y ajouter l'essence d'amandes. Laisser refroidir.

● Faire chauffer le four à 200 °C (400 °F). Ajouter 1 pincée de sel aux blancs d'oeufs, les battre en neige ferme. Les incorporer délicatement à la préparation froide.

● Beurrer un moule à soufflé et y verser la préparation. Le placer dans un grand plat à rôtir rempli d'eau chaude. Glisser le tout au four et laisser cuire pendant 35 min. Vérifier la cuisson en piquant un couteau dans le millas : la lame doit en ressortir à peine humide.

> *Servir chaud accompagné
> si désiré de doigts de dame
> arrosés de cognac.*

La PROVENCE

La cuisine provençale s'est depuis toujours mariée au climat chaud et doux du sud de la France. Elle a fait grand usage de ses produits locaux comme la tomate, l'ail, l'huile d'olive et les fines herbes, et nous a donné des spécialités délicieuses comme la ratatouille et l'aïoli.

De toutes les provinces du sud de la France, la Provence est sans conteste la plus typique. La plaine est inondée de soleil et les vallées regorgent d'oliviers et de citronniers; l'air est parfumé de lavande, de romarin, de thym et de fenouil. Dans les villages haut perchés, les jardins resplendissent : on y trouve des bougainvilliers roses et violets, des lauriers-roses en fleurs et on peut apercevoir des places publiques un carré de mer bleue qui scintille. Les habitants

Village de Provence perché sur la montagne, entouré de fleurs et d'arbres fruitiers

FRANCE

PROVENCE
● Aix

bons aux amandes) d'Aix ou les fruits confits d'Apt, d'Avignon et de Nyons.

On trouve aussi en Provence des spécialités qui ont fait sa renommée comme l'aïoli, qui accompagne les soupes de poisson, comme la bouillabaisse et la bourride ou encore l'agneau et les légumes. L'aïoli fait tellement partie de la cuisine régionale que le repas traditionnel du vendredi a été nommé d'après cette célèbre sauce. On trouve aussi d'autres spécialités comme les tripes farcies de Marseille, la saucisse fumée d'Arles et la brandade, morue salée de Nîmes.

Les vins de Provence auraient intérêt à être mieux connus. En Provence, on produit plus que des petits vins rosés sans caractère particulier mais, au contraire, de plus en plus de vins rouges et de vins blancs, plein de personnalité. Il n'y a qu'à penser aux Tavel rosés, aux vins de Bandol et aux Côtes de Provence. ■

de Provence, comme leurs ancêtres grecs et romains, sont friands de poisson, de fruits et de légumes, d'huile d'olive, de fines herbes et de bon vin. Ils aiment la cuisine simple, comme le poisson grillé au thym ou flambé au fenouil, ou encore la cuisine plus sophistiquée comme les nougats de Montélimar, les calissons (bon-

Salade aixoise (voir recette page 17)

14

■ RATATOUILLE

- *dégorgement : 1 h + 1 h 30 min*
- *6 à 8 personnes*

3 aubergines
3 courgettes
sel et poivre fraîchement moulu
125 mL (1/2 tasse) d'huile d'olive
3 oignons coupés en tranches fines
**60 mL (4 c. à tab.) de pâte de
    tomate**
**3 piments doux rouges ou verts,
    coupés en lanières**
4 gousses d'ail hachées
1 pincée de thym
1 feuille de laurier
1 pincée de cannelle
1 pincée de basilic
**5 grosses tomates blanchies, pelées
    et grossièrement hachées ou
    396 mL (14 oz) de tomates en
    boîte, égouttées et hachées**

● Laver les aubergines et les courgettes. Les couper dans le sens de la longueur, puis les recouper en tranches d'environ 2 cm (3/4 de po) d'épaisseur. Les ranger en couches superposées dans une passoire, en les saupoudrant de sel. Placer dessus une assiette surmontée d'un poids et laisser dégorger les légumes pendant au moins 1 heure.

● Au bout de ce temps, faire chauffer la moitié de l'huile d'olive à feu doux dans une grande casserole à fond épais. Y faire cuire les oignons, jusqu'à ce qu'ils soient transparents. Compter environ 15 min. Ajouter les piments aux oignons et laisser revenir pendant 5 min.

● Rincer les aubergines et les courgettes, les sécher soigneusement avec du papier absorbant. Ajouter le reste de l'huile dans la casserole. La faire chauffer. Y jeter aubergines, courgettes et ail, mélanger et laisser cuire pendant 10 min.

● Ajouter les tomates à la préparation ainsi que le thym, le laurier, la cannelle, le basilic, du sel et du poivre. Remuer, couvrir et laisser cuire de 40 à 45 min. Retirer le couvercle pendant les 10 dernières minutes de cuisson pour permettre à la sauce de réduire si la ratatouille paraît trop liquide.

● Lorsque la cuisson est achevée, retirer le laurier, verser la ratatouille dans un plat creux et servir.

Ratatouille

■ CRUDITÉS et AÏOLI

On donne souvent le nom d'aïoli aussi bien à la sauce elle-même qu'à la garniture qui l'accompagne, composée en général de légumes, d'escargots, d'oeufs durs et de morue. Nous en donnons ici une version simplifiée, à servir en hors-d'oeuvre. La quantité d'ail utilisée pour préparer l'aïoli varie selon le goût de chacun. Mais pour bien réussir cette sauce, il faut que les jaunes d'oeufs, l'huile et le bol soient à la température ambiante.

• *35 min*
• *4 à 6 personnes*

500 mL (2 tasses) de haricots verts très fins équeutés et blanchis
1 petit chou-fleur bien blanc défait en bouquets
5 carottes coupées en bâtonnets
5 petites courgettes coupées en bâtonnets

■ AÏOLI

de 3 à 5 gousses d'ail
2,5 - 4 mL (1/2 - 3/4 de c. à thé) de sel
250 mL (1 tasse) d'huile d'olive
5 mL (1 c. à thé) de jus de citron
poivre blanc fraîchement moulu
2 jaunes d'oeufs à la température de la pièce

Crudités et aïoli

● Saupoudrer les courgettes de sel, les mettre dans une passoire et les laisser dégorger pendant la préparation de l'aïoli.

● Préparer l'aïoli : peler l'ail et le piler avec le sel pour obtenir une pâte. Mettre les jaunes d'oeufs dans un bol et les mélanger parfaitement à l'ail et au sel avec un fouet.

● Ajouter l'huile goutte à goutte en tournant vivement. Lorsque le mélange prend et devient plus brillant, ajouter l'huile un peu plus vite, mais éviter de la verser trop rapidement, ce qui ferait tourner l'aïoli. Si la sauce devient trop épaisse, la battre avec 5 - 10 mL (1 - 2 c. à thé) d'eau tiède.

● Lorsque toute l'huile est incorporée, continuer à fouetter en ajoutant le jus de citron et du poivre. Verser la sauce dans un petit bol et le placer au centre d'un plat.

● Rincer les courgettes et les éponger dans du papier absorbant. Disposer les légumes dans le plat autour du bol d'aïoli en alternant les couleurs.

Si l'aïoli tourne pendant sa préparation, prendre un autre bol, écraser une autre gousse d'ail avec 1 pincée de sel. Ajouter 1 jaune d'oeuf, battre, incorporer petit à petit l'aïoli tourné, puis ajouter un peu d'huile.

Comme la sauce mayonnaise, l'aïoli se garde 3 ou 4 jours au frais. Il est recommandé de couvrir le bol d'une pellicule plastique ou de l'enfermer entier dans un sac de polyéthylène étanche pour éviter que le parfum pénétrant de la sauce n'imprègne les autres denrées contenues dans le réfrigérateur.

■ SALADE AIXOISE

- *35 min*
- *4 à 5 personnes*

4 pommes de terre coupées en morceaux
500 mL (2 tasses) de haricots verts très fins, équeutés et effilés
30 mL (2 c. à tab.) de vinaigre de vin
75 mL (5 c. à tab.) d'huile d'olive
4 tomates coupées en 4
2 oeufs durs coupés en 4
1 pincée d'estragon
de 8 à 12 filets d'anchois, égouttés
de 8 à 12 olives noires dénoyautées
2 cornichons coupés en morceaux

● Laver les pommes de terre; les mettre dans une casserole; les couvrir d'eau froide, porter à ébullition, saler et laisser cuire de 20 à 25 min, jusqu'à ce qu'elles soient juste tendres. Lorsque les pommes de terre sont cuites, les peler et les couper en rondelles d'environ 5 mm (1/4 de po) d'épaisseur.

● Faire cuire les haricots dans l'eau bouillante de 5 à 7 min après la reprise de l'ébullition. Les égoutter, les passer sous l'eau froide, les laisser égoutter à nouveau.

● Mettre 2 pincées de sel, 1 bonne pincée de poivre et le vinaigre dans un bol, mélanger, puis ajouter l'huile et battre à la fourchette pour émulsionner la sauce.

● Mettre les pommes de terre, les haricots et les tomates dans un grand saladier. Ajouter l'estragon; arroser avec la sauce et mélanger délicatement pour ne pas briser les légumes. Disposer les filets d'anchois en diagonale sur la salade et décorer avec les olives, les oeufs et les cornichons.

■ BOEUF en DAUBE

Le boeuf en daube est encore meilleur lorsqu'il est réchauffé. Comme il se congèle bien, ne pas hésiter à en doubler les proportions.

- *7 h*
- *6 personnes*

1 jarret de veau ou pied de porc coupés en deux
2 gros oignons hachés
60 mL (4 c. à tab.) d'huile d'olive
5 tomates blanchies, pelées, épépinées et grossièrement hachées ou 396 mL (14 oz) de tomates en conserve égouttées, épépinées, hachées
1 gros oignon entouré d'une lanière de zeste d'orange maintenue par 5 clous de girofle
2 branches de thym

1 feuille de laurier
3 branches de persil
10 grains de poivre, sel
2 carottes coupées en tronçons
1,2 kg (2 1/2 lb) de cubes de boeuf à braiser
4 gousses d'ail pelées
250 g (8 oz) de bacon ou de lard salé coupé en bâtonnets
600 mL (2 1/2 tasses) de vin rouge

● Faire chauffer l'huile dans une cocotte à fond épais et y faire fondre les oignons, jusqu'à ce qu'ils soient tendres. Ajouter les tomates et laisser cuire encore 5 min.

Boeuf en daube

● Lier ensemble le thym, le laurier et le persil. Mettre les grains de poivre dans un petit carré de mousseline; en nouer les extrémités.

● Disposer les carottes au fond de la cocotte. Ajouter la viande, la jarret de veau, l'ail, l'oignon piqué de clous de girofle, le bacon, le bouquet garni et le sachet de poivre. Saler. Arroser avec le vin rouge. Couvrir d'une feuille d'aluminium, puis poser le couvercle. Porter doucement à ébullition, puis baisser le feu au minimum et laisser mijoter pendant 10 min environ.

● Pendant ce temps, faire chauffer le four à 150 °C (300 °F). Placer alors la cocotte dans le four et l'y laisser pendant 6 h. Un peu avant la fin de la cuisson, vérifier s'il y a suffisamment de liquide. Sinon, ajouter un peu d'eau bouillante ou du bouillon chaud.

● Au moment de servir, retirer le sachet de poivre, l'oignon entier et le bouquet garni. Désosser le jarret de veau, couper la chair en dés et la mélanger à la daube. Servir avec des nouilles et une salade verte.

Si l'on a le temps, faire mariner la viande avant la cuisson : elle sera encore plus parfumée. Placer les morceaux dans un récipient en terre, y ajouter 1 gousse d'ail écrasée, 1 gros oignon coupé en lamelles, quelques grains de poivre noir grossièrement écrasés au pilon, 2 clous de girofle, 1 branche de thym, les feuilles d'une branche de céleri. Recouvrir la viande de vin rouge; laisser mariner au frais pendant au moins 5 ou 6 h en mélangeant de temps en temps la préparation avec une cuillère en bois. Ne pas y mettre les mains : la marinade tournerait. Filtrer la marinade avant la cuisson.

■ BRANDADE à la NÎMOISE

- *trempage : 12 h + 45 min*
- *4 à 5 personnes*

700 g (1 1/2 lb) de morue séchée en morceaux, de morue fumée ou de filets de morue frais
300 mL (1 1/4 tasse) d'huile d'olive tiède
250 mL (1 tasse) de crème à 35 % tiède

■ GARNITURE
4 ou 5 tranches de pain sans la croûte
45 mL (3 c. à tab.) d'huile d'olive

● Si on utilise de la morue salée, la faire tremper dans une bassine d'eau froide – peau au-dessus – pendant au moins 12 h. Changer l'eau à plusieurs reprises.

● Égoutter la morue, la placer dans une grande casserole et la couvrir d'eau froide. Faire frémir pendant 10 min sans laisser bouillir. Égoutter alors le poisson, le rafraîchir à l'eau froide, retirer la peau et les arêtes s'il y a lieu et effeuiller la chair à la fourchette.

● Faire tiédir l'huile en plaçant la bouteille dans une casserole d'eau chaude. Faire tiédir la crème de la même façon. Verser 60 mL (4 c. à tab.) d'huile dans une casserole, y ajouter la morue et travailler le tout à feu très doux avec une cuillère en bois. Incorporer peu à peu, alternativement, le reste de l'huile et la crème en mélangeant sans cesse vigoureusement, jusqu'à l'obtention d'une purée lisse et homogène. Assaisonner de sel et de poivre.

● Garniture : faire chauffer l'huile dans une poêle. Couper les tranches de pain en diagonale pour obtenir des triangles. Les faire dorer dans l'huile chaude des deux côtés et en entourer la brandade avant de servir.

● ●

■ BOURRIDE

La bourride est une recette provençale vieille de plus de 200 ans. On peut en varier les ingrédients, quoique l'un d'eux demeure vraiment essentiel : l'aïoli. Sans lui, la bourride redevient une simple soupe de poisson.

- *40 min*
- *6 à 8 personnes*

750 mL (3 tasses) de vin blanc sec
1,5 kg (3 lb) de poisson : flétan,
daurade, morue
60 mL (4 c. à tab.) d'huile d'olive
1 gros oignon émincé
1/4 de bulbe de fenouil tranché
1 grosse tomate hachée
1 grosse carotte coupée en tronçons
1 poireau tranché
2 gousses d'ail hachées
1 morceau d'écorce d'orange ou de
citron de 1,5 cm (1/2 po)
10 mL (2 c. à thé) de thym séché
1 bouquet de persil
1 feuille de laurier
sel et poivre fraîchement moulu
3 jaunes d'oeufs
quelques gouttes de jus de citron
250 mL (1 tasse) d'aïoli
(voir recette, p. 16)
6 à 8 tranches de pain croûté,
légèrement rôti

● Faire chauffer le vin blanc avec 750 mL (3 tasses) d'eau. Laver les poissons et les couper en tronçons.

● Faire chauffer l'huile dans une marmite. Y jeter tous les légumes, mélanger pendant 1 min. Ajouter l'ail, l'écorce d'orange, le thym, le persil, le laurier et les tronçons de poisson. Arroser du mélange d'eau et de vin blanc, saler et poivrer, couvrir et laisser frémir pendant 10 min.

● Après 10 min de cuisson, égoutter le poisson et le tenir au chaud sur un plat. Filtrer le bouillon dans un tamis et piler les légumes pour en extraire tout le parfum.

● Mettre les jaunes d'oeufs dans une grande casserole. Les battre avec le jus de citron et 45 mL (3 c. à tab.) d'aïoli. Ajouter 1 louche de bouillon chaud sans cesser de battre, puis verser peu à peu tout le reste du bouillon en battant toujours. Vérifier l'assaisonnement. Ne pas laisser bouillir la préparation.

● Surmonter les tranches de pain grillé d'aïoli. Verser le bouillon dans des bols. Poser 1 tranche de pain dans chaque bol. Servir très chaud avec les poissons à part.

● ●

■ SAUCE aux ANCHOIS à la PROVENÇALE

- *cuisson de l'agneau + 10 min*
- *environ 125 mL (1/2 tasse)*

10 filets d'anchois hachés fin
175 mL (3/4 de tasse) de persil
haché fin
le jus de 1 citron

● Faire rôtir, griller ou sauter l'agneau à votre goût, le transférer dans un plat de service et garder au chaud. Dégraisser le jus de cuisson puis incorporer les anchois, le persil et le jus de citron. Ajouter un peu d'eau et bien racler le fond de la poêle. Faire mijoter de 1 à 2 min à feu moyen puis verser le tout dans une saucière chaude.

● ●

■ POULET SAUTÉ aux OLIVES

- *1 h 15 min*
- *4 personnes*

**1 poulet de 1,5 kg (3 1/4 lb)
  coupé en morceaux**
10 mL (2 c. à thé) de thym séché
6 - 8 tranches de bacon de dos
60 mL (4 c. à tab.) d'huile d'olive
1 oignon grossièrement haché
2 gousses d'ail écrasées
**3 tomates blanchies, pelées,
  épépinées et grossièrement
  hachées**
500 mL (2 tasses) de vin blanc
**sel et poivre noir fraîchement
  moulu**
**150 g (5 oz) d'olives noires
  dénoyautées, coupées en 2**
**75 mL (1/3 de tasse) de persil
  haché fin**

● Poser sur chaque morceau de poulet
une pincée de thym puis envelopper
chaque morceau dans 1 tranche de
bacon. Fixer à l'aide d'un cure-dent.

● Faire chauffer l'huile dans une cocotte
et y faire rissoler le poulet 15 min à feu
doux. Ajouter l'oignon, l'ail et les
tomates, mélanger et arroser de vin
blanc. Couvrir et laisser cuire à feu doux
pendant environ 20 min.

● Après 20 min de cuisson, retirer le
couvercle de la cocotte, assaisonner,
augmenter le feu et laisser cuire environ
de 8 à 10 min pour permettre au jus de
réduire. Ajouter alors les olives,
mélanger et laisser chauffer pendant
5 min.

● Verser le poulet et sa sauce dans un
plat creux; parsemer de persil et servir.

*Poulet sauté
aux olives*

■ FLAN aux ÉPINARDS

Cette recette traditionnelle, plus particulièrement niçoise, a toujours beaucoup de succès dans toute la Provence, qui en propose de multiples variantes.

- *25 min + repos de la pâte : 1 h*
- *cuisson : de 45 à 50 min*
- *4 personnes*

■ PÂTE BRISÉE

350 mL (1 1/2 tasse) de farine
1 pincée de sel
25 mL (1 1/2 c. à tab.) de sucre
100 mL (3/5 de tasse) de beurre doux coupé en dés

■ CRÈME PÂTISSIÈRE

3 jaunes d'oeufs
1 mL (1/4 de c. à thé) de sel
20 mL (4 c. à thé) de farine tamisée
125 mL (1/2 tasse) de sucre vanillé ou de sucre ordinaire + quelques gouttes d'essence de vanille
250 mL (1 tasse) de crème à 15 %
5 mL (1 c. à thé) de beurre
450 g (1 lb) d'épinards nettoyés et cuits ou 200 g (7 oz) d'épinards congelés, cuits
le zeste râpé de 1 citron
quartiers d'orange confite (facultatif)
1 oeuf

● Préparer la pâte : tamiser ensemble la farine, le sel et le sucre au-dessus d'un bol. Incorporer le beurre du bout des doigts à ce mélange. Ajouter peu à peu 30 ou 45 mL (2 ou 3 c. à tab.) d'eau glacée. Pétrir quelques minutes, jusqu'à ce que la pâte soit homogène, puis la rouler en boule. L'aplatir rapidement avec les mains et la rouler de nouveau en boule. La laisser reposer au moins 1 h au réfrigérateur.

● Faire chauffer le four à 200 °C (400 °F). Abaisser la pâte au rouleau et la disposer dans un moule de 19 cm (7 1/2 po) de diamètre. Emballer le reste de la pâte dans une pellicule de plastique et garder pour la décoration. Piquer le fond de la tarte avec une fourchette et le recouvrir de papier d'aluminium; emplir de haricots secs. La placer dans le four et laisser cuire de 10 à 12 min. Retirer les haricots secs et le papier et laisser refroidir la pâte à demi-cuite. Baisser le four à 190 °C (375 °C).

● Pendant ce temps, préparer la crème pâtissière : mélanger les 3 jaunes d'oeufs et 1 pincée de sel à feu doux, dans une petite casserole à fond épais. Quand ils sont bien liés, ajouter la farine en la tamisant et le sucre vanillé, sans cesser de tourner. Faire chauffer la crème. L'incorporer doucement à ce mélange. Porter à ébullition en remuant avec une cuillère en bois. Laisser bouillir 1 min en tournant vivement. Retirer du feu, ajouter le beurre.

● Bien égoutter les épinards et les ajouter avec le zeste de citron au mélange précédent. Ajouter 1 pincée de sel. Verser cette préparation dans le moule.

● Découper le reste de la pâte en longues bandes, les disposer en diagonale sur les épinards. Battre l'oeuf entier à la fourchette. En badigeonner les bandes de pâte à l'aide d'un pinceau. Faire cuire à nouveau au four de 30 à 35 min.

● Décorer alors de quartiers d'orange confite.
Servir chaud ou froid.

Le LANGUEDOC

Le Languedoc est la plus étendue de toutes les vieilles provinces de France. C'est une région de haute gastronomie, célèbre aussi pour ses vins. Son excellent foie gras rivalise avec ceux du Périgord ou d'Alsace. La gloire gastronomique de la région reste le fameux cassoulet. Les plats en daube, les recettes de volaille, de poisson, de gibier méritent également leur bonne réputation.

Un peu de géographie

Le Languedoc s'étend du Rhône à la Garonne avec Toulouse pour capitale du haut Languedoc et Montpellier pour capitale du bas Languedoc, ou Languedoc méditerranéen. Cette région descend depuis les hautes terres des Cévennes, du Rouergue et des contreforts des Pyrénées jusqu'aux plaines du Roussillon.

La définition géographique du Languedoc date du XIIIe siècle d'une formule créée par les fonctionnaires du roi pour désigner l'ensemble des terres où se parlait la langue d'oc, qui fut la langue raffinée des troubadours.

La gastronomie du haut Languedoc

La gastronomie du haut Languedoc est liée essentiellement à ses vastes cultures de céréales – de maïs en particulier –, qui servent à engraisser porcs, oies, dindes, canards et poules. Cette cuisine est à la base de confits d'oie et de canard, de charcuterie et de salaisons. La fine graisse d'oie supporte de longs mijotages savants et par-

Étalage de fruits et de légumes en Languedoc

23

fume bien des plats de cette cuisine. L'oie de Toulouse, dite grise, est la reine de l'espèce. Elle peut atteindre jusqu'à 12 kg (26 lb). Les meilleures oies sont celles qui ont été gavées au maïs blanc, cultivé dans la région depuis la Renaissance. Le gavage des oies se fait de la même manière depuis fort longtemps : trois fois par jour, la «gorgeuse» introduit un entonnoir dans le gosier de la volaille, dont elle maintient la tête tout en y versant le maïs. Si l'oie n'avale pas, elle pousse le grain avec un bâtonnet arrondi. Au bout d'un mois, l'oie est si lourde qu'elle marche à peine. Lorsqu'elle ne se lève plus, elle est «à point» pour la préparation du foie gras.

Les confits d'oie, de canard ou de porc, souvent parfumés aux truffes de la région, sont conservés dans des pots de grès. On prépare aussi du ragoût de foie d'oie en daube ou en filets grillés. Les recettes de volaille sont innombrables et excellentes : poulet farci, chapon truffé, canard en salmis, dindonneau aux olives... La «sanguette» ou «sanquette» est une très ancienne recette de la région. Elle se prépare en faisant frire à la graisse d'oie du sang de volaille frais. On sert la sanguette avec de l'ail, des lardons et du persil haché, et on l'arrose d'un peu de vinaigre passé à la poêle. L'«alicuit» ou «alicot» est un ragoût d'abattis cuit à l'étouffée avec des pommes de terre et des carottes. Il est également fortement relevé d'ail. En dehors des nombreux pot-au-feu, souvent enrichis de confit ou de cou d'oie farci, il ne faut pas oublier les soupes : soupe à l'ail, soupe au chou et le fameux «tourin» à la graisse d'oie et aux oeufs.

Parmi les gloires gastronomiques de la région, la plus célèbre est le cassoulet. Pour les Toulousains, «Toulouse est avant tout la ville où le cassoulet est roi...» On discutera toujours dans le pays sur les conditions de sa naissance, sur les ingrédients ou sur le temps idéal de cuisson. Le cassoulet n'a pas fini de faire parler de lui.

La gastronomie du bas Languedoc

La gastronomie du bas Languedoc est dominée par les plats de poisson et de fruits de mer. La pêche fait vivre une importante population de pêcheurs. Les recettes de poissons sont variées et très appréciées, de la fameuse brandade nîmoise aux bouillabaisses, aïolis, persillades et ragoûts «relevés», spécialités de Carcassonne. Toutefois, la morue séchée, souvent utilisée dans ces anciennes préparations, n'est pas originaire du Languedoc mais de Norvège...

Les pêcheurs de thon de Palavas ont une recette bien à eux : ils se préparent des tripes de thon quand ils sont en mer, les cuisent au vin blanc, arrosées d'un bon verre d'eau de mer. Ils ne manquent pas d'y ajouter l'ail et les aromates qu'ils ont emportés. Car l'ail est partout dans la cuisine du Languedoc, et la célèbre foire aux aulx de Toulouse, qui s'ouvre le 23 août, jour où les «gardos» (bottes de deux cents têtes d'ail) débordent des étalages, est la preuve de la place prépondérante que tient cette plante.

Sur le littoral et les pentes ensoleillées des coteaux calcaires du Languedoc méditerranéen, les vignes s'étendent à perte de vue. Elles ont peu à peu chassé les cultures d'oliviers, les céréales et les prairies. Le vignoble languedocien fournit 60 % des vins de table français. Les vins des coteaux du Minervois et de la vallée de l'Aude sont bien connus. Le muscat est très réputé et aurait été implanté en Gaule du temps des Romains. Le sol pierreux des coteaux convient particulièrement à cette culture et donne des vins d'une qualité remarquable. ∎

■ TRUITES à la CRÈME

- *45 min*
- *4 personnes*

**4 truites fraîches de 250 g (8 oz)
   chacune, nettoyées
sel et poivre noir fraîchement moulu
farine
125 mL (1/2 tasse) de beurre
750 mL (3 tasses) de champignons
   nettoyés et émincés
20 mL (4 c. à thé) de jus de citron
250 mL (1 tasse) de crème à 35 %
1 pincée de cerfeuil séché
pommes de terre en purée ou
   pommes de terre nouvelles
   pour servir**

● Saler légèrement les truites à l'intérieur et les enrober de farine assaisonnée.

● Faire fondre 45 mL (3 c. à tab.) de beurre à feu doux dans une casserole et faire revenir les champignons de 3 à 4 min. Ajouter le jus de citron, assaisonner et réserver.

● Faire fondre le reste du beurre à feu doux dans un plat pouvant aller au four, assez grand pour contenir les truites côte à côte et y faire revenir les poissons 4 min de chaque côté. Placer les champignons et le jus de cuisson autour des truites, verser la crème, saupoudrer de cerfeuil et hausser légèrement le feu.

● Faire chauffer le four à gril.

● Lorsque la crème frémit, retirer le plat du feu et le placer rapidement sous le gril. Laisser la cuisson se poursuivre 10 min de plus, en arrosant de temps à autre les truites pour les empêcher de s'assécher.

● Servir les truites bien dorées, accompagnées de pommes de terre en purée ou de pommes de terre nouvelles bouillies.

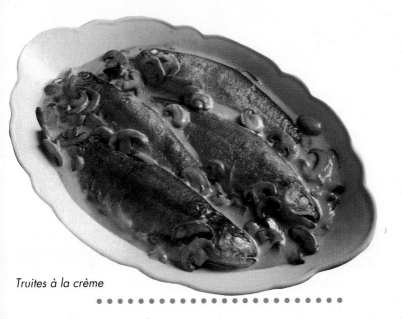

Truites à la crème

● ●

■ CASSOULET de CASTELNAUDARY

- *trempage : 8 - 12 h*
- *préparation et cuisson : 5 h*
- *8 à 10 personnes*

800 mL (3 1/4 tasses) de haricots blancs secs, trempés toute une nuit
100 mL (3/8 de tasse) de saindoux
800 g (1 3/4 lb) d'oie ou de canard, coupés en 6 morceaux
4 oignons épluchés
2 clous de girofle

8 gousses d'ail
100 mL (3/8 de tasse) de pâte de tomate
396 mL (14 oz) de tomates en conserve
10 mL (2 c. à thé) de paprika
2 mL (1/2 c. à thé) de poivre de Cayenne
200 g (7 oz) de couennes de porc
1 carotte pelée, coupée en rondelles
2 bouquets garnis (thym, laurier, persil)

Cassoulet de Castelnaudary

150 mL (5/8 de tasse) de graisse d'oie ou de saindoux
1 kg (2 lb) d'échine de porc désossée et ficelée
10 mL (2 c. à thé) de cannelle
250 mL (1 tasse) de bouillon de boeuf
sel et poivre noir fraîchement moulu
200 g (7 oz) de saucisson à l'ail
6 - 8 saucisses de porc
175 mL (3/4 de tasse) de chapelure fraîche

● Faire fondre le saindoux dans une grande casserole à fond épais à feu moyen. Ajouter les morceaux d'oie ou de canard et frire de tous les côtés jusqu'à ce qu'ils soient bien dorés. Mettre de côté. Vider les 3/4 du gras et réserver.

● Piquer un oignon avec les clous de girofle. Hacher les autres. Éplucher 6 gousses d'ail et les piler. Faire revenir la moitié des oignons et de l'ail pilé dans la casserole où l'oie a cuit. Ajouter la pâte de tomate, les tomates en conserve, le paprika, le poivre de Cayenne, du sel et du poivre. Remettre les morceaux de volaille dans la casserole, couvrir et cuire à feu doux de 2 h 30 min à 2 h 45 min. Couper les couennes en lanières et les ficeler.

● Égoutter les haricots, les verser dans un faitout, les couvrir avec 3 L (12 tasses) d'eau froide et y ajouter l'oignon piqué des clous de girofle, la carotte, une gousse d'ail, les couennes et 1 bouquet garni. Porter à ébullition et laisser mijoter 1 h 30 min.

● Pendant ce temps, faire fondre 90 mL (6 c. à tab.) de graisse d'oie dans une cocotte. Y faire revenir l'échine de porc

de tous côtés. La retirer avec une écumoire et faire revenir le reste des oignons. Ajouter le reste de l'ail, la cannelle et le second bouquet garni. Mélanger 3 min. Remettre l'échine dans la cocotte, saler et poivrer, ajouter le bouillon, couvrir et laisser cuire 1 h.

● Lorsque les haricots ont cuit 1 h 30 min, y ajouter le contenu de la cocotte et le saucisson. Goûter les haricots avant de saler. Laisser cuire pendant encore 30 min.

● Faire chauffer le four à 170 °C (325 °F). Peler la dernière gousse d'ail et en frotter un grand plat en terre allant au four.

● Sortir la viande de la cocotte et la couper en tranches. Retirer la peau du saucisson et le couper en rondelles. Égoutter les haricots. Retirer les bouquets garnis et l'oignon entier. Déficeler les couennes et les couper en morceaux. Faire fondre le reste de la graisse d'oie et y faire frire les saucisses de porc jusqu'à ce qu'elles soient presque cuites.

● Étaler une couche de haricots dans le plat, recouvrir d'une couche de viande, d'une autre couche de haricots et continuer ainsi jusqu'à épuisement des ingrédients, en terminant par une couche de haricots. Enfouir les saucisses dans les haricots. Saupoudrer le plat de chapelure. Arroser avec la graisse d'oie fondue. Glisser le plat au four et laisser gratiner 1 h 30 min. Servir très chaud dans le plat de cuisson.

Un vin de Médoc rouge un peu corsé mais plutôt fruité convient tout à fait à ce plat.

■ PÂTÉ de FOIE CAMPAGNARD

- *5 à 5 h 30 min + refroidissement et réfrigération*
- *8 personnes*

450 g (1 lb) de foie de veau
125 g (4 oz) de porc maigre
125 g (4 oz) de lard salé
250 g (9 oz) de saindoux réfrigéré
250 mL (1 tasse) de chapelure fraîche
100 mL (3/8 de tasse) de bouillon de poulet
60 mL (1/4 de tasse) de vermouth sec

75 mL (1/3 de tasse) de persil haché fin
1 mL (1/4 de c. à thé) de macis
1 mL (1/4 de c. à thé) de clou de girofle moulu
1 feuille de laurier
sel et poivre noir fraîchement moulu
450 g (1 lb) de foies de poulet, de dinde ou de canard
3 ou 4 têtes de champignons tranchées
farine tout usage pour sceller
rôties ou pain français pour servir

Paté de foie campagnard

● ●

● Hacher finement au couteau le foie de veau, le porc maigre, le lard salé et 175 mL (3/4 de tasse) de saindoux.

● Faire tremper la chapelure dans le bouillon et le vermouth et les ajouter aux ingrédients hachés. Bien remuer, puis ajouter le persil, le macis, les clous de girofle, le sel et le poivre. Réserver.

● Faire chauffer le four à 150 °C (300 °F).

● Nettoyer les foies de volaille et les hacher grossièrement. Placer une couche du mélange de porc et de foie de veau au fond d'une terrine ovale de 1,25 L (5 tasses). Couvrir d'une rangée de foies de volaille et répéter en pressant bien chaque rangée en place et en terminant avec une rangée de mélange au foie de veau.

● Décorer d'une feuille de laurier et entourer celle-ci de champignons. Couvrir d'une mince couche de saindoux et sceller le couvercle avec un mélange de farine et d'eau.

● Placer la terrine dans une rôtissoire et verser assez d'eau chaude pour couvrir la terrine de moitié. Enfourner et laisser cuire 3 h 30 min.

● Retirer la terrine du four, laisser refroidir et réfrigérer jusqu'à ce que le pâté soit bien froid. Démouler la terrine et l'envelopper d'une feuille de papier aluminium ou la servir directement du plat avec des rôties ou du pain français.

> *Le pâté de foie se sert très bien*
> *avec un vin mousseux doux*
> *ou un sauternes.*

■ PETITS POIS au JAMBON

- *1 h 15 min*
- *4 personnes*

150 mL (5/8 de tasse) de beurre
125 g (4 oz) de jambon maigre cru haché (prosciutto ou jambon de Parme)
1 oignon haché
500 g (1 lb) de petits pois congelés
100 mL (3/8 de tasse) de farine tout usage
1 mL (1/4 de c. à thé) de sucre
1 mL (1/4 de c. à thé) de sel
bouquet garni (thym, laurier, persil)
4 tranches de pain

● Faire fondre 45 mL (3 c. à tab.) de beurre dans une grande poêle peu profonde et faire frire le jambon et l'oignon 10 min à feu doux.

● Ajouter les pois et remuer pour bien les incorporer au reste des ingrédients. Saupoudrer de farine, remuer de nouveau et faire cuire 2 min. Ajouter 150 mL (5/8 de tasse) d'eau, le sucre, le sel et le bouquet garni. Remuer une fois, couvrir et faire mijoter 25 min.

● Retirer le couvercle et faire mijoter 10 min de plus, pour laisser s'évaporer le surplus d'humidité.

● Entre-temps, faire fondre le reste du beurre dans une grande poêle et faire frire les tranches de pain de 5 à 7 min, jusqu'à ce qu'elles soient croustillantes.

● Retirer le bouquet garni, verser les pois sur les croûtons et porter à table.

■ BOEUF en DAUBE à la LANGUEDOCIENNE

- *marinage : 10 à 12 h + 6 h*
- *6 à 8 personnes*

**1,5 (3 1/4 lb) de palette de boeuf
coupée en tranches de 2,5 cm
(1 po)**
1 L (4 1/2 tasses) de vin blanc
45 mL (3 c. à tab.) d'huile d'olive
farine tout usage
**30 mL (2 c. à tab.) de saindoux ou
de graisse de rôti de boeuf**
**250 g (9 oz) de bacon non fumé
coupé en morceaux de 2,5 cm
(1 po)**
6 échalotes françaises hachées
**6 carottes tranchées en morceaux
de 1,5 cm (1/2 po)**
4 gousses d'ail coupées en deux
**375 mL (1 1/2 tasse) de
champignons coupés en deux**
sel et poivre noir fraîchement moulu
bouquet garni (thym, laurier, persil)
**le zeste de la moitié d'une orange,
en une seule lanière si possible**
farine pour sceller la casserole
**75 mL (1/3 de tasse) de persil
haché**

■ POUR SERVIR
riz bouilli

● Placer le boeuf dans un bol et faire mariner de 10 à 12 h dans le vin et l'huile, à couvert dans un endroit frais.

● Retirer la viande de la marinade, l'assécher, la saupoudrer de farine et réserver. Réserver la marinade.

● Faire chauffer le four à 180 °C (350 °F).

● Faire fondre le saindoux à feu moyen dans une grande poêle et y faire revenir le bacon de 3 à 4 min, en remuant constamment. Ôter le bacon et réserver.

● Faire sauter rapidement la viande dans la même poêle puis réserver.

● Faire sauter les échalotes, les carottes et l'ail dans la poêle de 2 à 3 min, jusqu'à ce que le tout soit bien enrobé de gras.

● Placer les lanières de boeuf dans une casserole à fond épais allant au four et les entourer des légumes de la poêle et des champignons. Verser la marinade, assaisonner de sel et de poivre, ajouter le bouquet garni et le zeste d'orange.

● Sceller le couvercle avec une pâte composée de farine et d'eau, glisser au four et laisser cuire 4 h 30 min.

● Saler et poivrer de nouveau et servir saupoudré de persil et accompagné de riz bouilli.

> *Servir avec un bordeaux rouge
> épicé et boisé.*

■ TARTE aux RAISINS

- *préparation et repos de la pâte*
  + 1 h 15 min
- *6 personnes*

pâte brisée
farine tout usage
450 g (1 lb) de raisins verts sans
   pépins
1 blanc d'oeuf
45 mL (3 c. à tab.) de sucre
60 mL (4 c. à tab.) de gelée de
   coings, de pommes ou de
   pommettes

● Préparer la pâte brisée et la rouler
en boule; la laisser reposer 1 h au frais.
Faire chauffer le four à 190 °C (375 °F).

● Après 1 h de repos, fariner le plan
de travail. Y abaisser la pâte au rouleau.

En garnir un moule de 2C
diamètre. Piquer le fond de
fourchette.

● Laver les raisins et les éponger.
Les couper en deux. Les déposer, côté
peau sur le dessus, en rangs serrés et
concentriques sur le fond de tarte.

● Battre légèrement le blanc d'oeuf à
la fourchette. Badigeonner la pâte avec
le blanc d'oeuf. Saupoudrer les raisins
avec le sucre. Mettre le moule au four
et laisser cuire 35 - 45 min.

● Mettre la gelée dans une petite
casserole et laisser fondre à feu doux.

● Lorsque la tarte est cuite, la sortir du
four. Napper de gelée et laisser refroidir
ou servir chaud.

Tarte aux raisins

● ●

GÂTEAU de CRÊPES aux ABRICOTS

- *trempage : de 18 à 24 h + 2 h 30 min*
- *4 à 5 personnes*

225 g (8 oz) d'abricots secs
350 mL (1 1/2 tasse) de vin blanc
175 mL (3/4 de tasse) de sucre
15 mL (1 c. à tab.) de gélatine
huile pour la cuisson
175 mL (3/4 de tasse) de noix de
**   Grenoble hachées**
6 noix de Grenoble pour garnir

■ PÂTE À CRÊPES
250 mL (1 tasse) de farine tout
**   usage**
2 mL (1/2 c. à thé) de sel
2 oeufs
200 mL (7/8 de tasse) de lait
15 mL (1 c. à tab.) d'huile

● Placer les abricots dans une petite casserole, ajouter le vin et les laisser tremper de 18 à 24 h.

● Préparer la pâte à crêpes : tamiser la farine avec le sel dans un bol. Battre les oeufs dans un autre bol avec le lait et l'huile et verser le tout sur la farine, en battant bien, jusqu'à ce que la pâte soit bien lisse. Couvrir et laisser reposer 2 h.

● Réserver 45 mL (3 c. à tab.) de vin de trempage dans une tasse. Couper les abricots en lanières, les placer de nouveau dans le reste de vin avec le sucre et faire mijoter 1 h 30 min, à couvert, jusqu'à ce qu'ils soient tendres.

● Vers la fin de la cuisson, faire tremper la gélatine dans le vin réservé. Lorsque les abricots sont tendres, y incorporer la gélatine et remuer jusqu'à ce qu'elle soit dissoute. Une fois le mélange légèrement refroidi, le réduire en purée au mélangeur ou au robot, le verser de nouveau dans la casserole et réserver.

● Verser la pâte à crêpes dans une tasse à mesurer. Verser une mince couche d'huile dans le fond d'une poêle de 18 cm (7 po) de diamètre et faire chauffer. Verser 60 mL (1/4 de tasse) de pâte, tourner la poêle puis faire cuire 1 min de chaque côté. Répéter jusqu'à ce que toute la pâte soit utilisée : vous devriez obtenir environ 10 crêpes. Les placer sur une grille lorsqu'elles sont cuites.

● Pas plus de 2 h avant de servir, assembler les éléments du gâteau. Placer une crêpe sur une assiette, badigeonner de purée d'abricots et couvrir de noix hachées. Répéter avec le reste des crêpes et terminer avec une couche de purée d'abricots. Décorer des moitiés de noix, couvrir sans serrer d'un papier ciré et laisser reposer à la température de la pièce jusqu'au moment de servir. Couper le gâteau avec un couteau tranchant, à la façon d'un gâteau ordinaire.

● ●

La CÔTE D'AZUR
et la CORSE

Plats colorés et épicés, cuisine à l'huile d'olive, à l'ail, aux tomates et aux anchois caractérisent la gastronomie de la Côte d'Azur. La pissaladière est la spécialité niçoise la plus célèbre. La charcuterie de Corse, notamment le jambon cru, ou *prisuttu*, est remarquable. Parmi les fromages de l'île de Beauté, le *brocciu* est le plus connu.

Le terme «Côte d'Azur» date de 1887. Il vient d'un poète, Stéphane Liégard, qui en fit le titre d'un de ses ouvrages, couronné par l'Académie française. Le mot «Riviera» vient de l'italien et signifie «littoral». Il s'applique aussi à la côte méditerranéenne française, de Nice à Menton, où les Alpes plongent brusquement dans la Méditerranée, la plus bleue des mers européennes.

La Méditerranée est moins poissonneuse que l'Atlantique, et pourtant les poissons de roche y pullulent : rascasses, rougets, congres et murènes... Leur goût très apprécié serait dû aux algues marines dont ils se nourrissent. On oublie cependant que la rascasse, ce poisson à grosse tête toute

Un marché sur une place à Nice

FRANCE

CÔTE D'AZUR
Nice

CORSE

hérissée d'épines, qui est la gloire de la bouillabaisse, est d'une telle fadeur qu'elle serait, paraît-il, impropre à toute autre recette!

Les restaurants niçois savent depuis toujours préparer des poissons moins connus dont les noms étonnent les touristes : le fantré, la plie, l'oblade, le sarpanansa, l'ombrine, la mostèle et le rombou... Mais il existe aussi de superbes plats comme les paupiettes de sole, le pilau de crabe et de moules servi avec du riz ou d'excellentes recettes plus familiales comme les poissons grillés. Plus populaire et très typique est l'*estocafic* ou *stoficado*, déformation du mot *stockfish* (morue séchée). C'est un ragoût de poisson plein de saveur, accommodé avec quantité de tomates et d'oignons, beaucoup d'ail, d'huile et d'herbes aromatiques. On le sert sous le même nom en Corse, mais les restaurateurs de la Côte d'Azur l'appellent souvent morue à la niçoise.

On sait que les anchois, en filets, pilés, en purée ou *pissala*, figurent dans bien des recettes. L'anchoïade se tartine sur du pain passé au four. Tout plat dit «à la niçoise» indique toujours une préparation aillée. Cette préparation convient aussi bien aux plats de poisson, de viande, de gibier ou de volaille; la pissaladière, qui est une tarte à l'oignon et aux olives relevée aux anchois, est la vraie spécialité de Nice comme de toute la Côte d'Azur. La soupe au pistou se sert aussi dans toute la Provence et en particulier sur la Côte d'Azur; elle rappelle le minestrone italien. Le pistou, c'est-à-dire le basilic, lui donne son nom et son parfum. C'est une soupe riche en légumes, haricots verts, pommes de terre, oignons, tomates, courges. On y ajoute du vermicelle en cours de cuisson et le pistou, la fameuse «pommade» faite avec du basilic, de l'ail et de l'huile d'olive.

La Côte d'Azur, et spécialement la région de Menton, produit des agrumes, avec lesquels on prépare dans la région du vin cuit, d'exquises confitures, des pâtes et surtout des fruits confits, qui se vendent dans le monde entier. Au-dessus de Menton, on récolte les citrons toute l'année. Grâce à la douceur du climat, les arbres portent en tout temps des fleurs et des fruits à divers stades de leur maturité. La culture des orangers et des mandariniers est également prospère. Les oliviers donnent une huile excellente.

La cuisine corse doit beaucoup à la cuisine italienne, et les peuples qui ont occupé l'île lui ont laissé quelques-unes de leurs traditions culinaires. Il existe cependant des plats spécifiquement corses. La bouillabaisse corse, dite *ù ziminu*, est singulière et exquise. La capone (rascasse rouge), la murène et la langouste entrent dans sa préparation. Les torrents des régions montagneuses fournissent des anguilles et surtout des truites, que les Corses ne veulent manger que selon la formule des trois F, c'est-à-dire fraîches, frites et froides... ■

■ SOUPE de POISSON à la SAUCE ROUILLE

- *45 min + cuisson : 1 h 15 min*
- *4 - 6 personnes*

4 pommes de terre pelées et
  coupées en quartier
4 oignons tranchés
4 gousses d'ail hachées
800 g (1 3/4 lb) de poisson blanc à
  chair ferme (flétan par exemple),
  en tranches épaisses
sel
1 pincée de poivre
100 mL (3/8 de tasse) d'huile d'olive
100 mL (3/8 de tasse) de cognac
1 bouquet garni (fenouil, persil,
  feuille de laurier, céleri, zeste de
  citron et aneth)
8 tranches de pain
parmesan et persil haché pour servir

■ SAUCE ROUILLE
2 tranches de pain croûté, rassis,
  sans les croûtes
2 gousses d'ail
10 mL (2 c. à thé) de paprika

150 mL (5/8 de tasse) d'huile d'olive
2 - 5 mL (1/2 - 1 c. à thé) de
  sauce aux piments forts
sel

● Disposer dans un faitout le poisson, les
pommes de terre, l'oignon, l'ail, du sel et
du poivre. Ajouter 1,1 L (5 tasses) d'eau
bouillante, l'huile, le cognac et le bouquet
garni et laisser mijoter 20 min.

● Pendant ce temps, préparer la rouille :
faire tremper le pain dans l'eau froide
quelques secondes puis l'essorer. Peler
l'ail et le piler au pilon dans un mortier,
ajouter le pain, le paprika et la sauce aux
piments. Arroser avec l'huile en mince
filet en tournant sans arrêt, jusqu'à ce
que la sauce ait la consistance d'une
mayonnaise. Ajouter alors 15 mL
(1 c. à tab.) de fumet de poisson et saler.

● Répartir la soupe dans de grands bols.
Tartiner 8 tranches de pain de rouille et
en poser une dans chaque bol.
Saupoudrer de parmesan et de persil
haché, et servir très chaud.

*Soupe de poisson à la
sauce rouille*

● ● ● ● ● ● ● ● ● ● ●

■ BROCHETTES de MOULES, SAUCE PROVENÇALE

Servir ces brochettes avec du pain croûté et une salade verte.

- *1 h*
- *2 personnes*

15 mL (1 c. à tab.) d'huile d'olive
quartiers de citron

32 moules, environ 1,4 kg (3 lb)
1 jaune d'oeuf
15 mL (1 c. à tab.) de lait
4 tranches de bacon coupées en
    morceaux de 5 cm (2 po)
chapelure fraîche
sel et poivre noir fraîchement moulu

■ SAUCE
30 mL (2 c. à tab.) de pâte de tomate
30 mL (2 c. à tab.) d'huile d'olive
396 mL (14 oz) de tomates en boîte
1 feuille de laurier
5 mL (1 c. à thé) de basilic haché
5 mL (1 c. à thé) de persil haché fin

Brochettes de moules, sauce provençale

● ●

5 mL (1 c. à thé) de thym haché
1 gousse d'ail écrasée
sel
paprika au goût

● Préparer la sauce : faire chauffer la pâte de tomate et l'huile à feu moyen dans une petite casserole. Ajouter les tomates et les herbes, bien remuer et faire frémir. Laisser la sauce cuire 45 min à feu doux, à découvert, en remuant de temps en temps.

● Bien frotter les moules pour les nettoyer, puis les placer dans une grande casserole profonde. Couvrir la casserole et remuer 3 min à feu vif, sans ajouter d'eau. Retirer les moules des coquilles.

● Battre le jaune d'oeuf avec le lait. Enfiler les brochettes : placer un morceau de bacon suivi de deux moules et répéter jusqu'à ce que tous les ingrédients soient utilisés. Les tremper dans le mélange d'oeuf et de lait, les rouler dans la chapelure, assaisonner et laisser reposer 10 min.

● Faire chauffer le four à gril. Ajouter l'ail à la sauce, remuer pour briser les tomates et assaisonner au goût. Réserver.

● Huiler légèrement les brochettes et faire griller de 5 à 7 min, en les tournant, jusqu'à ce qu'elles soient dorées. Servir immédiatement, décoré des quartiers de citron.
Servir la sauce à part dans une saucière.

> *Accompagner d'un vin rosé*
> *(de Provence ou d'ailleurs)*
> *bien frais.*

■ COURGETTES à la NIÇOISE

- *20 min + cuisson : 1 h*
- *4 personnes*

1 kg (2,2 lb) de petites courgettes, coupées dans le sens de la longueur
796 mL (28 oz) de tomates en conserve
sel et poivre fraîchement moulu
30 mL (2 c. à tab.) d'huile d'olive
2 oignons hachés
30 mL (2 c. à tab.) de pâte de tomate
2 gousses d'ail pilées
15 mL (1 c. à tab.) de basilic frais haché ou 7 mL (1 1/2 c. à thé) de basilic séché
5 mL (1 c. à tab.) d'estragon frais haché ou 2 mL (1/2 c. à thé) d'estragon séché

● Saupoudrer les courgettes légèrement de sel et les laisser dégorger pendant la suite des opérations.
● Faire chauffer l'huile d'olive dans une grande casserole à feu doux et y ajouter les oignons, la pâte de tomate, l'ail, les tomates et le basilic. Laisser cuire doucement, sans couvrir, pendant environ 10 min. Rectifier l'assaisonnement.
● Faire chauffer le four à 200 °C (400 °F). Rincer les courgettes et les essuyer avec du papier absorbant. Les disposer dans un plat à gratin. Les recouvrir de sauce tomate, glisser le plat au four et laisser cuire pendant 25 min. Saupoudrer d'estragon haché et servir bien chaud.

On peut aussi servir ces courgettes froides. Elles font alors un agréable contraste avec un plat chaud.

● ●

■ PISSALADIÈRE

30 min + cuisson : 1 h 10 min
4 personnes

300 g (10 oz) de pâte à pain
  congelée, décongelée
700 g (1 1/2 lb) d'oignons tranchés
  finement
10 olives noires dénoyautées

1 gousse d'ail hachée
105 mL (7 c. à tab.) d'huile d'olive
2 morceaux de piment rouge en
  conserve
10 filets d'anchois
sel et poivre noir fraîchement
  moulu
basilic séché

Pissaladière

■ POUR LE MOULE
15 mL (1 c. à tab.) d'huile

● Laisser reposer la pâte à pain quelques heures dans un endroit tiède. Huiler un moule à tarte à bord lisse et à fond amovible de 20 cm (8 po) de diamètre.

● Faire chauffer 60 mL (4 c. à tab.) d'huile dans une grande poêle. Y mettre les oignons à feu très doux en les retournant avec une cuillère en bois, jusqu'à ce qu'ils soient enduits d'huile. Couvrir et laisser les oignons devenir tendres et transparents (compter environ 30 min) en les retournant de temps en temps pour éviter qu'ils ne brunissent.

● Rincer les filets d'anchois et les essuyer avec du papier absorbant.

● Faire chauffer le four à 200 °C (400 °F). Déposer la pâte dans le moule, la presser du centre vers le bord et l'appuyer tout autour du moule avec les doigts.

● Assaisonner les oignons de sel et de poivre, y incorporer l'ail haché et étaler ce mélange sur la pâte. Disposer les filets d'anchois comme les rayons d'une roue, placer les olives entre eux. Hacher le piment et en parsemer éventuellement le dessus du flan. Parsemer de basilic et arroser avec le reste de l'huile. Laisser reposer 15 minutes.

● Glisser au four et laisser cuire pendant 20 min. Baisser alors la température à 180 °C (350 °F) et laisser cuire pendant encore 15 min. Servir tiède ou complètement froid dans le moule.

■ OMELETTE CORSE au BROCCIU

Un léger parfum de menthe donne à cette omelette une saveur délicieuse.

• *15 min*
• *2 personnes*

8 feuilles de menthe fraîche
75 g (3 oz) de brocciu ou autre
 fromage de chèvre frais
5 oeufs
sel et poivre
15 mL (1 c. à tab.) d'huile d'olive
25 mL (1 1/2 c. à tab.) de beurre

● Laver les feuilles de menthe et les hacher finement. Couper le fromage en tranches. Casser les oeufs dans un bol et les battre à la fourchette avec 15 mL (1 c.à tab.) d'eau froide et la menthe hachée, jusqu'à ce que le mélange soit mousseux. Saler et poivrer.

● Faire chauffer l'huile dans une poêle, y ajouter le beurre, donner un mouvement tournant à la poêle et, dès que la matière grasse est chaude, verser rapidement les oeufs battus dans la poêle.

● Lorsque les oeufs sont à moitié pris, disposer les tranches de fromage sur l'omelette et la replier dès que le fromage commence à se ramollir.

Faire glisser l'omelette sur un plat et servir.

● ●

■ CHARLOTTE aux FRAMBOISES

Ce dessert riche et délicieux peut être préparé à partir d'une variété de fruits acidulés comme les oranges, les citrons et les gadelles.

1 h 15 min + réfrigération : 6 h ou plus
6 à 8 personnes

700 g (1 1/2 lb) de framboises
fraîches ou décongelées
500 mL (2 tasses) de sucre à glacer
+ un peu plus pour saupoudrer
15 mL (1 c. à tab.) de gélatine
600 mL (2 1/2 tasses) de crème
à 35 %
beurre pour graisser
36 doigts de dame (3 paquets
environ)
framboises pour garnir (facultatif)

● Placer la moitié des framboises dans une petite casserole avec 30 mL (2 c. à tab.) de sucre à glacer et 45 mL (3 c. à tab.) d'eau et faire cuire 5 min à feu doux. Passer le mélange au tamis, saupoudrer le coulis encore chaud de gélatine et laisser reposer.

● Fouetter la crème et en réserver 30 mL (2 c. à tab.) pour décorer à la poche à douilles si désiré. Incorporer peu à peu le reste du sucre puis le mélange de framboises. Incorporer le reste des fruits.

● Tapisser de biscuits le fond et les côtés d'un moule à charlotte légèrement beurré de 1 L (4 tasses) de contenance, le côté sucré vers l'extérieur. Verser la garniture au centre.

● Couvrir le dessus des quelques biscuits qui restent en les coupant en deux sur le sens de la longueur et réfrigérer au moins 6 h. Démouler la charlotte et décorer le centre d'une rosette de crème fouettée et de quelques framboises si on le désire. Saupoudrer d'un peu de sucre à glacer avant de servir.

Charlotte aux framboises

● ●

Le ROUSSILLON

Ancienne province française ouverte sur la Méditerranée, le Roussillon est compris entre le Languedoc et les Pyrénées. Farouchement indépendants et fiers de leur histoire, ses habitants ont conservé une cuisine très individualiste qui est caractérisée par l'usage généreux de l'huile d'olive, de l'ail, de l'aubergine et de la tomate.

Le Roussillon, que Salvador Dali a qualifié de «centre de l'univers», est bien mal connu et associé à tort avec son voisin le Languedoc. L'on semble ignorer que c'est une région catalane qui a ses propres histoire, langue et culture. Faisant autrefois partie du célèbre «royaume de Majorque», ensuite cédé à la Catalogne et conquis par la France au XVIIe siècle, le Roussillon a maintenu de nombreuses traditions catalanes. On y parle le catalan, l'architecture est d'influence espagnole et de nombreuses traditions, la célébration pascale dans le rues de Perpignan par exemple, rappellent les fêtes espagnoles.

La région mélange l'ancien et le moderne. Des petits villages qui semblent ne

Des pêcheurs de sardines à Collioure

41

pas avoir subi le passage du temps se cramponnent aux flancs des montagnes alors que la côte est parsemée d'hôtels de villégiature des plus modernes.

Bornée au sud par les Pyrénées et à l'ouest par la petite principauté d'Andorre, la région peut être divisée en deux parties géographiques. À l'extrême ouest se trouve la Cerdagne, région de hauts plateaux à cheval sur la frontière franco-espagnole. Autrefois indépendante du Roussillon et ayant différentes ressources culinaires, la Cerdagne possède ses propres spécialités.

L'une des spécialités les plus appréciées est une soupe très nourrissante préparée avec du chou, du porc, des pois chiches et du gibier, appelé *braou bouffat*, qui signifie «bonne bouffe». Les perdreaux aux morilles sont une autre spécialité. Au printemps, à l'orée des forêts, l'on trouve une variété de morille très rare et très prisée. La Cerdagne est également l'une des rares régions où l'on prépare le civet d'isard (chèvre de montagne). Contrairement à la Catalogne cependant, on utilise peu de fruits dans les préparations culinaires, les hauts plateaux étant peu favorables à leur culture. Toutefois, il y pousse quelques raisins, pommes et poires d'excellente qualité.

La seconde région est le pays catalan comme tel, recouvert de prairies qui descendent vers la Méditerranée. De là viennent les premières cerises de l'année, les premiers petits pois du printemps et les pêches célèbres de l'Île-sur-Tet. Vers Perpignan, les fruits et légumes poussent en abondance.

Les melons, les pêches, les abricots, les cerises, les pommes et les poires côtoient les légumes si importants dans la cuisine catalane : des aubergines géantes et satinées, de grosses tomates d'une ron-

deur parfaite, de magnifiques oignons violets et les plus grosses têtes d'ail jamais vues.

L'ail et l'huile d'olive sont pour les habitants du Roussillon des denrées quotidiennes. Le vrai petit déjeuner catalan comporte traditionnellement du pain frotté d'ail et arrosé d'huile d'olive. Lorsque sur un menu vous lisez «à la catalane», attendez-vous à ce que le plat contienne au moins une tête d'ail, comme la saucisse à la catalane ou l'estouffade de boeuf, ou que la préparation soit sautée dans l'huile, accompagnée d'aubergines et servie sur un lit de riz cuit avec une sauce tomate.

Plus on se dirige vers le sud en longeant la côte, plus le soleil brille et plus on mange de poissons. Sardines, anchois, thon frais et homards sont les plus appréciés, servis après une entrée d'escargots grillés. On y déguste aussi les filets d'anchois frais, frits dans l'huile d'olive avec de l'ail pilé et du persil haché. Les anchois frais ne se trouvent que dans les ports où on les pêche; à défaut, on utilise des sardines fraîches. Les filets d'anchois salés sont employés dans de nombreux plats : on en fait une pâte pour farcir les pommes de terre ou on les prépare en «feuillets» avec des tomates et des olives. Le thon est braisé dans un court-bouillon de poisson et souvent mangé froid avec une sauce Collioure, faite d'ail et d'anchois.

En fin de repas, on apprécie les nombreuses douceurs dont la région a la spécialité : le fameux tourons aux blancs d'oeufs fourrés de noisettes, d'amandes grillées et de pignons ou les délices aux fruits comme les abricots meringués. Les vignobles de la région seraient les plus anciens vignobles français et dateraient de 700 ans avant J.-C. Les Côtes du Roussillon sont des vins à appellation contrôlée largement exportés. ■

■ SOUPE aux MARRONS

Ce plat automnal est très populaire en Catalogne. On y ajoute souvent un perdreau ou un pigeonneau.

- *cuisson de la volaille et préparation du bouillon, puis 3 h*
- *4 personnes*

1 perdreau, pigeonneau ou poulet rôtis, froids
1 gros oignon non pelé, coupé en quartiers
1 bouquet garni (thym, origan, persil)
2 feuilles de laurier
12 grains de poivre blanc
lanières de zeste de citron
700 g (1 1/2 lb) de marrons frais
sel et poivre noir fraîchement moulu
croûtons chauds, frits dans l'huile d'olive pour servir

● Retirer la poitrine et le plus de chair possible de la volaille. La hacher finement et réserver.

● Placer la carcasse dans une grande casserole et couvrir de 1,5 L (6 tasses) d'eau froide; ajouter l'oignon, le bouquet garni, les feuilles de laurier, les grains de poivre et le zeste de citron. Amener à ébullition, réduire le feu, couvrir et faire mijoter de 1 h 30 min à 2 h.

● Pendant ce temps, faire une incision sur le côté rond de chaque marron, les placer sur une plaque de cuisson et les faire

chauffer dans le four à gril de 15 à 20 min. Les écales s'ouvriront où ont été faites les incisions; vous aurez plus de facilité à retirer les noix et à peler la peau brune intérieure. Tenir les noix avec un linge pour les manipuler, car elles seront très chaudes.

● Verser le bouillon à travers une passoire et reverser dans la casserole après l'avoir rincée. Faire cuire à feu vif jusqu'à ce que le bouillon ait réduit à 850 mL (3 1/2 tasses).

● Ajouter les marrons au bouillon et faire mijoter à feu doux 2 h. Laisser refroidir un peu, puis passer au mélangeur ou au robot avec la volaille hachée.

● Verser la soupe dans la casserole, assaisonner de sel et de poivre et faire chauffer jusqu'à ce qu'elle soit juste frémissante.

● Verser la soupe dans une soupière chaude, garnir de croûtons et servir.

Dans le Roussillon, les croûtons sont frits dans une huile à laquelle on ajoute de l'ail écrasé.

■ FRICADEAU de THON, SAUCE COLLIOURE

- *15 min + cuisson : 30 min*
- *refroidissement : 1 h*
- *4 personnes*

700 g (1 1/2 lb) de thon frais ou de morue en 4 tranches
600 mL (2 1/2 tasses) de fumet de poisson
1 laitue

■ SAUCE
1 gousse d'ail
6 filets d'anchois
125 mL (1/2 tasse) de mayonnaise
15 mL (1 c. à tab.) de persil finement haché

● Mettre les tranches de poisson dans une sauteuse. Couvrir de fumet, porter doucement à ébullition. Dès que le liquide frémit, réduire le feu, couvrir et laisser cuire doucement pendant 30 min (20 min pour la morue) ou jusqu'à ce que le poisson se défasse facilement à la fourchette. Retirer alors la sauteuse du feu et laisser le poisson refroidir au moins 1 h dans le court-bouillon.

● Pendant ce temps, préparer la sauce : peler la gousse d'ail et la piler; écraser les filets d'anchois et l'ail dans un mortier pour obtenir une pâte homogène. Ajouter cette pâte à la mayonnaise, bien remuer, puis incorporer en remuant le persil haché.

● Étaler la laitue hachée sur un plat de service. Y poser le poisson, le couvrir de mayonnaise aux anchois.

■ POMMES de TERRE FRITES FARCIES aux ANCHOIS

- *45 min*
- *6 personnes*

30 petites pommes de terre nouvelles de même taille
10 filets d'anchois
150 mL (5/8 de tasse) de beurre mou
huile pour friture

● Gratter les pommes de terre et les essuyer dans un linge. En retirer 1 rondelle pour leur permettre de tenir debout, puis, avec un vide-pomme ou un petit couteau pointu, retirer environ le tiers de chaque pomme de terre du côté opposé de manière à obtenir une petite cavité sur le dessus de chacune. Les mettre au fur et à mesure dans un bol d'eau.

● Piler les filets d'anchois. Mélanger le beurre et les anchois pilés dans un bol en battant au fouet jusqu'à ce que ces ingrédients soient bien mêlés, puis placer la pâte dans le réfrigérateur pour la raffermir.

● Faire chauffer la friture à 190 °C (375 °F), jusqu'à ce qu'un dé de pain rassis dore en 50 secondes.

● Essuyer les pommes de terre une à une et les plonger dans l'huile chaude. Les laisser frire de 10 à 15 min, jusqu'à ce qu'elles soient bien dorées. (Le temps peut varier légèrement selon la taille et la qualité des pommes de terre.) Les retirer à l'aide d'une écumoire, les laisser égoutter sur du papier absorbant.

● Emplir rapidement la cavité de chaque pomme de terre avec du beurre d'anchois. Les disposer sur un plat chaud.

■ ESTOUFFADE de BOEUF à la CATALANE

• *15 min + cuisson : 3 h 30 min*
• *6 personnes*

**300 mL (1 1/4 tasse) de petits
champignons entiers, lavés**
2 têtes d'ail, pelées
45 mL (3 c. à tab.) d'huile d'olive
1 oignon espagnol émincé
**1,4 kg (3 lb) de haut de croupe ou
d'intérieur de ronde de boeuf
ficelé**
sel et poivre noir fraîchement moulu
**30 mL (2 c. à tab.) de farine
assaisonnée de sel et de poivre**
**300 mL (1 1/4 tasse) de vin blanc
sec**
2 tomates hachées

● Faire chauffer le four à 150 °C
(300 °F). Faire chauffer l'huile dans une
grande cocotte, ajouter l'oignon et le
faire revenir pendant 5 min.

● Rouler la viande dans la farine et la
faire dorer de toutes parts à feu vif dans
la cocotte.

● Verser le vin blanc dans la cocotte,
remuer pendant 2 à 3 min à la spatule,
puis ajouter les champignons, les tomates
hachées, les gousses d'ail, un peu de sel
et beaucoup de poivre. Couvrir la
cocotte, la glisser au four et laisser cuire
pendant 3 h 30 min.

● Lorsque la viande est cuite, couper
les ficelles et la trancher. Disposer les
tranches sur un plat de service chaud.

● Faire chauffer la cocotte à feu moyen
et laisser bouillir la sauce pendant 4 à
5 min, jusqu'a ce qu'elle soit bien
épaisse. À l'aide d'une cuillère, napper
de sauce les tranches de viande et servir
le reste dans une saucière.

Estouffade de boeuf à la catalane

■ PERDREAUX à la CATALANE

De petites oranges amères sont cultivées à profusion dans le Roussillon et sont apprêtées avec le gibier. À défaut d'oranges amères, utiliser des oranges sucrées et ajouter le jus d'un citron.

- *30 min + cuisson : 1 h 50 min*
- *4 personnes*

Perdreaux à la catalane

● ●

6 gousses d'ail pelées, entières
1 oignon haché
8 oranges amères de Séville ou
    4 oranges sucrées pelées à vif
60 mL (4 c. à tab.) d'huile d'olive
4 perdreaux ou poulets de
    Cornouailles
30 mL (2 c. à tab.) de farine tout
    usage
175 mL (3/4 de tasse) de vin blanc
    demi-sec
le jus de 2 oranges de Séville ou le
    jus de 1 orange et celui de
    1 citron
250 mL (1 tasse) de bouillon de
    volaille
1 bouquet garni (thym, marjolaine,
    persil)
2 feuilles de laurier
200 g (7 oz) de piments rouges en
    conserve, égouttés et coupés en
    lanières
sel et poivre noir fraîchement
    moulu

■ POUR SERVIR
brindilles de cresson
haricots verts

● Faire chauffer l'huile d'olive dans une cocotte, y faire revenir l'oignon pendant 4 à 5 min. Le retirer avec une écumoire.

● Mettre les perdreaux dans la cocotte et les faire dorer de toutes parts. Les retirer également. Saupoudrer la cocotte de farine et laisser cuire pendant 2 à 3 min en remuant. Arroser avec le vin blanc, le laisser bouillir pendant 2 min en remuant, jusqu'à ce que la sauce épaississe.

● Remettre les perdreaux côte à côte dans la cocotte. Ajouter les oranges de Séville, le jus d'orange, le bouillon de volaille, le bouquet garni, les feuilles de laurier, les gousses d'ail et l'oignon. Couvrir hermétiquement, régler le feu au plus bas et laisser mijoter doucement pendant 1 h.

● Ajouter les piments rouges aux perdreaux après 1 h de cuisson et faire cuire pendant encore 20 min. Les oranges doivent être très tendres et avoir absorbé le plus de sauce possible.

● Lorsque la cuisson est achevée, rectifier l'assaisonnement. Disposer les perdreaux dans un plat de service chaud, les entourer des oranges, retirer le bouquet garni et le laurier. Napper le plat de sauce, garnir de brindilles de cresson et servir avec des haricots verts cuits à la vapeur.

■ ABRICOTS MERINGUÉS

* *trempage : une nuit complète, puis*
  1 h 20 min
* *6 personnes*

**450 g (1 lb) d'abricots frais ou
350 g (12 oz) d'abricots séchés,
trempés dans l'eau toute une
nuit**
25 mL (1 1/2 c. à tab.) de beurre
**125 mL (1/2 tasse) de riz à grain
court**
500 mL (2 tasses) de lait
**1 gousse de vanille ou 5 mL (1 c. à
thé) d'essence de vanille**

300 mL (1 1/4 tasse) de sucre
2 oeufs, blancs et jaunes séparés
**15 mL (1 c. à tab.) de sucre
à glacer**

● Si l'on utilise des abricots séchés,
les placer avec le liquide dans lequel ils
ont trempé, dans une grande casserole.
Y ajouter le beurre et faire bouillir à feu
moyen. Réduire la chaleur, couvrir et
faire mijoter à feu doux 1 h ou jusqu'à
ce que les abricots soient très tendres et
que tout le liquide ait été absorbé.
S'il s'agit d'abricots frais, couvrir

Abricots meringués

simplement d'eau, ajouter le beurre, amener à ébullition, réduire le feu et faire mijoter jusqu'à ce qu'ils soient tendres, soit environ 10 min. Égoutter et réserver.

● Placer le riz dans une passoire et le rincer sous l'eau chaude. Faire bouillir une grande casserole d'eau froide et y jeter le riz. Faire bouillir 3 min et égoutter.

● Amener le lait à ébullition dans une grande casserole avec la gousse de vanille ou l'essence; ajouter le riz, réduire la chaleur et faire mijoter à feu très doux 20 min.

● Ajouter 125 mL (1/2 tasse) de sucre au riz et faire mijoter encore 25 min en remuant de temps en temps pour empêcher le riz de coller.

● Transférer le riz dans un plat de service ovale peu profond allant au four, laisser refroidir 2 min et incorporer les deux jaunes d'oeufs. Faire chauffer le four à 180 °C (350 °F).

● Placer les abricots en une seule rangée sur le dessus du riz.

● Dans un bol, fouetter les blancs d'oeufs en neige. Incorporer délicatement le reste du sucre avec une cuillère en métal et verser cette meringue dans un sac muni d'une douille lisse de 1,5 cm (1/2 po).

● Tracer une dentelle de meringue sur les abricots, la saupoudrer de sucre à glacer et faire cuire au four 15 min.

● Hausser le thermostat à 220 °C (425 °F) et faire cuire encore 5 min. Retirer du four et servir chaud, tiède ou froid.

■ SAUCISSE à la CATALANE

- *1 h 15 min*
- *4 personnes*

30 mL (2 c. à tab.) de saindoux
900 g (2 lb) de saucisse de porc
15 mL (1 c. à tab.) de farine
15 mL (1 c. à tab.) de vin blanc sec
300 mL (1 1/4 tasse) de consommé
  de volaille en conserve ou maison
30 mL (2 c. à tab.) de pâte de tomate
2 têtes d'ail pelées, les gousses
  entières
5 mL (1 c. à thé) de thym séché
5 mL (1 c. à thé) d'estragon séché
15 mL (1 c. à tab.) de persil
  fraîchement haché
1 lanière de zeste d'orange de
  10 cm (4 po)
5 mL (1 c. à thé) de jus de citron

● Faire fondre le saindoux dans une sauteuse et y faire dorer la saucisse à feu moyen pendant 3 à 4 min. L'égoutter sur une assiette. Saupoudrer la sauteuse de farine et mélanger pendant 2 min à la spatule. Arroser peu à peu avec le vin blanc et tourner, jusqu'à ce que le mélange épaississe légèrement. Ajouter alors le bouillon de volaille et la pâte de tomate, porter à ébullition, puis réduire le feu et laisser mijoter doucement pendant 15 min.
● Replacer la saucisse dans la sauteuse, y ajouter les gousses d'ail entières, le thym, l'estragon, le persil, le zeste d'orange et le jus de citron. Bien remuer pour enrober la saucisse avec la sauce. Couvrir la cocotte et laisser mijoter à feu très doux pendant 30 min.
● Lorsque la cuisson est achevée, retirer la saucisse de la sauteuse et la disposer en spirale sur un grand plat de service chaud.

■ AUBERGINES au GRATIN à la CATALANE

- *1 h 10 min*
- *2 personnes*

1 aubergine
sel et poivre noir fraîchement
 moulu
1 oignon haché
1 oeuf dur, haché
2 gousses d'ail pilées
125 mL (1/2 tasse) d'huile d'olive
45 mL (3 c. à tab.) de chapelure
45 mL (3 c. à tab.) de persil
 finement haché

● Partager l'aubergine en deux dans le sens de la longueur, saupoudrer chaque moitié de sel et les laisser dégorger ainsi pendant 30 min.

● Faire chauffer à feu doux 30 mL (2 c. à tab.) d'huile d'olive dans une poêle à fond épais, y ajouter l'oignon et laisser fondre doucement pendant 30 min, jusqu'à ce que l'oignon soit bien tendre. Faire chauffer le four à 180 °C (350 °F).

● Retirer l'oignon de la poêle avec une écumoire et le garder en réserve dans un bol. Laver soigneusement l'aubergine à l'eau courante pour enlever toute trace de sel.

● Ajouter 75 mL (5 c. à tab.) d'huile d'olive dans la poêle. La faire chauffer à feu moyen et y faire sauter les moitiés d'aubergine pendant 15 min en les retournant trois ou quatre fois pendant la cuisson. Sortir l'aubergine de la poêle et en retirer la chair à l'aide d'une petite cuillère. Ajouter la chair de l'aubergine à l'oignon, conserver les peaux.

● Ajouter dans le bol l'oeuf dur haché, 30 mL (2 c. à tab.) de chapelure, le persil haché, l'ail pilé. Saler, poivrer et bien mélanger tous les ingrédients.

● Remplir du mélange les peaux des aubergines et les disposer dans un plat allant au four. Les saupoudrer du reste de la chapelure, humecter le dessus avec le reste de l'huile d'olive. Glisser au four et laisser cuire 20 min.
Servir immédiatement.

Le BOURBONNAIS,
le LYONNAIS et l'AUVERGNE

La cuisine simple et nourrissante du Bourbonnais contraste avec les riches et savantes préparations de la célèbre gastronomie française. Le plat le plus typique du Bourbonnais est la soupe au chou et aux noix, tandis que l'Auvergne aussi bien que le Lyonnais sont renommés pour leur gratin de pommes de terre.

On parle parfois du Bourbonnais, région nichée au centre de la France, comme de la porte de l'Auvergne. Les paysans de cette région avaient jadis la réputation d'être très fiers, assez pauvres mais bien gourmands. Et l'on peut dire qu'ils ont toujours mangé une cuisine simple à base d'ingrédients raffinés : des poulets et des oies bien engraissés et le boeuf du Charolais, célèbre à travers le monde.

On cultive dans la région une grande variété de légumes; les gratins y sont très populaires et varient selon les saisons. Ils sont habituellement nappés d'une sauce blanche citronnée, à laquelle s'ajoutent des oignons délicatement sautés et du gruyère râpé.

Les soupes sont à base de légumes ou de noix de Grenoble, une autre spécialité de la région. On pourrait supposer, à juste titre, que la soupe froide aux poireaux, la vichyssoise, provient de la ville de Vichy dans le Bourbonnais, mais en réalité elle fut créée à New York par Louis Diat, cuisinier français qui nomma cette soupe d'après sa ville natale. On préfère souvent l'huile de noix de Grenoble à l'huile d'olive, les noyers tout comme les châtaigniers poussant partout dans la région.

Des fermiers de Lyon

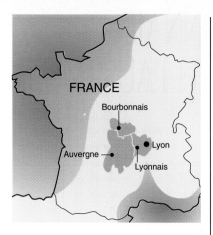

FRANCE

Bourbonnais

Lyon

Auvergne

Lyonnais

La plupart des départements ont chacun leur propre tourte, mais la plus fameuse de la région est sûrement le tourton bourbonnais, un riche feuilleté de pommes de terre. Une autre sorte de feuilleté est fait avec une farce très épicée de porc et de veau à laquelle on ajoute après la cuisson du gras de porc fondu versé à travers un entonnoir; servi froid, il s'apparente beaucoup au pâté en croûte anglais. Ces tourtes sont très prisées dans la région de Montluçon, là d'où viennent les poires les plus délectables. Fait intéressant à noter, les recettes qui, dans d'autres régions, sont faites avec des pommes sont ici préparées avec des poires, notamment la délicieuse recette de chausson aux poires.

Du Bourbonnais à l'Auvergne, le paysage change et la plaine cède la place aux montagnes. La cuisine auvergnate est encore plus simple que celle du Bourbonnais, mais cela ne l'empêche pas d'être renommée pour sa pâtisserie, sa charcuterie et ses garnitures. Bien connu, l'aligot est composé de pommes de terre cuites et fouettées et de fromage cantal bien robuste. À ce fromage, on ajoute du pain et de l'oignon pour confectionner la soupe de cantal.

Cette région, qui n'est peut-être pas des plus touristiques, est néanmoins reconnue pour ses fromages, qu'elle exporte à travers le monde; outre le Cantal, l'Auvergne exporte le saint-nectaire, la tomme, des fromages de chèvre et un bleu bien vieilli.

Plus à l'est, le Lyonnais est une petite région dont la réputation culinaire est plus qu'impressionnante. Pour certains, Lyon est considéré comme le haut lieu de la gastronomie française. Cette ville a à sa portée les richesses de Bresse, de la Bourgogne, du Charolais et de la vallée du Rhône. L'ingrédient le plus important de la cuisine lyonnaise est sans doute l'oignon. Les habitants de la région regardent de bien haut la soupe à l'oignon parisienne; elle n'est pour eux qu'une pauvre adaptation de la leur, bien plus consistante et servie différemment.

La majorité des restaurants lyonnais ont à leur tête des chefs féminins et ce, depuis de nombreuses années. La plus célèbre est sans doute la Mère Fillioux, qui dirigeait son restaurant après la Première Guerre mondiale.

Le pot-au-feu à la lyonnaise a ceci de particulier qu'il est rendu plus consistant par l'addition de pois séchés pour être ensuite servi avec du chou rouge. Le boeuf est de loin la viande préférée des Lyonnais, et même la queue est au menu. Un chef aussi réputé que Paul Bocuse prépare pour des occasions spéciales des plats aussi extravagants que des pattes de boeuf entières qui mijotent dans d'immenses chaudrons avec des poulets, du veau, des saucisses et du gibier.

Dans cette région, on termine souvent le repas par un riche pouding aux marrons. Dans une recette traditionnelle, on fait cuire trois douzaines de marrons avec un soupçon de clou de girofle, puis on les tamise et on les mêle à du sucre vanillé, du beurre mou et des jaunes d'oeufs. Des blancs d'oeufs légèrement fouettés y sont ensuite incorporés et le tout est versé dans un moule bien graissé. Finalement, saupoudré de pistaches et cuit au four, c'est là un dessert exquis. ■

■ OEUFS DURS à la LYONNAISE

- *35 min*
- *4 personnes*

8 oeufs durs
2 oignons tranchés finement
1 gousse d'ail pilée
60 mL (4 c. à tab.) de beurre
500 mL (2 tasses) de lait
sel et poivre noir fraîchement
** moulu**
125 g (4 oz) de gruyère coupé en
** fines lamelles**

● Mettre les rondelles d'oignons dans un linge, en tordre fermement les deux extrémités. Immerger pendant 20 secondes la partie contenant les oignons dans de l'eau bouillante. Sortir le linge de l'eau et le tordre pour extraire toute l'eau.

● Faire fondre 45 mL (3 c. à tab.) de beurre à feu moyen dans une casserole, y ajouter les oignons ébouillantés et remuer doucement pendant 1 min. Ajouter l'ail. Faire chauffer le lait et le verser sur la préparation en remuant. Saler et poivrer, continuer à faire cuire en remuant, jusqu'à ce que les oignons soient cuits.

● Faire chauffer le four à gril. Beurrer un plat à gratin. Écaler les oeufs durs et les couper en rondelles épaisses. Les mélanger délicatement au contenu de la casserole. Verser le tout dans le plat beurré. Couper le gruyère en fines lamelles et en recouvrir le contenu du plat en les faisant se chevaucher légèrement. Glisser le plat dans le four et laisser gratiner 5 min.

Fromage gruyère

● ●

■ CARPE à la FORÉZIENNE

Traditionnellement, le plat dans lequel cuisait le poisson était scellé d'une pâte de farine et d'eau que l'on retirait en la cassant une fois le poisson cuit. De nos jours, le papier d'aluminium, bien ramené sous les rebords du plat, est aussi efficace et rend le plat beaucoup plus simple à préparer.

- *2 h 15 min*
- *4 personnes*

beurre pour graisser
1 grosse carotte, tranchée
1 gros oignon, tranché
2 échalotes, hachées

1 gousse d'ail, écrasée
2 feuilles de laurier
5 mL (1 c. à thé) de thym séché
15 mL (1 c. à tab.) de persil haché
sel et poivre
1 carpe de 1,5 kg (3 1/4 lb),
    écaillée et nettoyée

Les ingrédients pour la carpe à la forézienne

60 mL (4 c. à tab.) de vinaigre de vin
60 mL (4 c. à tab.) d'huile d'olive et un peu plus pour graisser

■ POUR SERVIR ET GARNIR
4 gros croûtons ovales de 10 cm (4 po) de long, frits dans le beurre
tiges de persil et tranches de citron

● Faire chauffer le four à 150 °C (300 °F). Graisser généreusement un plat peu profond allant au four assez grand pour contenir le poisson et les légumes et y mettre les légumes et les herbes. Saupoudrer légèrement de sel et de poivre. Placer le poisson sur le dessus, verser le vinaigre et l'huile et ajouter de l'eau froide jusqu'à la moitié du poisson. Bien couvrir de papier d'aluminium et faire cuire 2 h au four.

● Placer les croûtons sur une assiette de service chaude. Soulever soigneusement le poisson avec deux spatules à poisson et le laisser égoutter. Le placer ensuite sur les croûtons et garnir de tiges de persil et de tranches de citron.

● Au-dessus d'une saucière, verser le jus de cuisson à travers une passoire; rectifier l'assaisonnement si nécessaire et servir le poisson immédiatement, avec la sauce.

> *Choisir un vin blanc sec,*
> *par exemple un riesling d'Alsace.*

■ **CERVELAS GRATINÉS PAYSANNE**

• *45 min*
• *4 personnes*

4 petits cervelas (saucisses épicées)
20 mL (4 c. à thé) de beurre
125 mL (1/2 tasse) de vin blanc
175 mL (3/4 de tasse) de gruyère râpé
3 branches de persil plat

● Faire chauffer de l'eau dans une sauteuse. Piquer les cervelas avec les dents d'une fourchette et les faire cuire dans l'eau frissonnante pendant 30 min.

● Pendant ce temps, beurrer un plat à gratin rectangulaire. Faire chauffer le four à 220 °C (425 °F).

● Égoutter les cervelas et les couper en deux dans le sens de la longueur. Les disposer dans le plat beurré, la partie coupée directement sur le fond du plat. Arroser doucement avec le vin blanc et parsemer les cervelas de fromage râpé. Glisser au four et laisser cuire 10 min.

● Disposer les feuilles de persil entre les cervelas et servir chaud dans le plat de cuisson. Présenter en même temps une salade de pissenlits ou une salade verte.

Pour un plat plus substantiel, on peut servir les tranches de cervelas sur un lit de lentilles délicatement parfumées de thym et de laurier.

■ POULET SAUTÉ SAINT-POURÇAIN

- *1 h 45 min*
- *4 personnes*

sel et poivre noir fraîchement moulu
1 poulet de 1, 4 kg (3 lb)
25 mL (1 1/2 c. à tab.) de beurre,
à la température de la pièce
300 mL (1 1/4 tasse) de béchamel
chaude
300 mL (1 1/4 tasse) de gruyère
râpé
60 mL (1/4 de tasse) de crème
à 35 % fouettée

● Faire chauffer le four à 190 °C (375 °F). Saler et poivrer l'intérieur et l'extérieur du poulet. Couvrir le poulet de beurre, le mettre dans une rôtissoire et faire cuire 1 h 20 min au four.

● Entre-temps, préparer la béchamel et l'assaisonner de beaucoup de poivre; la garder au chaud.

● Détailler le poulet en 4 portions et les disposer dans un plat à gratin.

● Incorporer les 3/4 du fromage à la béchamel et incorporer ensuite la crème. Verser cette préparation sur le poulet et saupoudrer du reste de fromage. Faire chauffer le four à gril.

● Placer le plat sous le gril environ 5 min, jusqu'à ce que le fromage soit doré. Servir immédiatement.

Sauce béchamel
utilisée pour le poulet
sauté Saint-Pourçain

■ QUEUE de BOEUF LYONNAISE

- *trempage : 2 h*
- *cuisson : 4 h*
- *4 personnes*

1 queue de boeuf
125 g (4 oz) de lard salé
45 mL (3 c. à tab.) de farine tout
usage
45 mL (3 c. à tab.) de saindoux
3 oignons tranchés
1 carotte tranchée
3 gousses d'ail écrasées
30 mL (2 c. à tab.) de marc de
Bourgogne ou de cognac
250 mL (1 tasse) de vin rouge
250 mL (1 tasse) de bouillon de
boeuf
30 mL (2 c. à tab.) de pâte de tomate
1 bouquet garni (thym, persil, laurier)
8 marrons en boîte

● Couper la queue de boeuf en tronçons de 5 cm (2 po). Les recouvrir d'eau froide et les laisser tremper au moins pendant 2 h.

● Égoutter la queue de boeuf, la mettre dans un faitout, couvrir d'eau froide et porter à ébullition en écumant si cela est nécessaire. Égoutter la queue de boeuf et l'éponger.
● Faire chauffer le four à 150 °C (300 °F). Couper le lard en bâtonnets et les plonger 5 min dans de l'eau bouillante. Les égoutter. Verser la farine dans une assiette, la saler et la poivrer. Y rouler les tronçons de queue de boeuf.
● Faire fondre le saindoux dans une cocotte, ajouter les oignons, la carotte, les lardons et les morceaux de queue de boeuf. Faire revenir le tout à feu moyen en tournant de temps en temps, jusqu'à ce que l'oignon soit doré.
● Ajouter l'ail, le marc, le vin, le bouillon, la pâte de tomate et le bouquet garni dans la cocotte. Saler et poivrer. Mélanger. Porter à ébullition, puis couvrir et glisser la cocotte au four. Laisser cuire 3 h.
● Après 3 h de cuisson, dégraisser le ragoût avec une cuillère. Ajouter les marrons, couvrir à nouveau, glisser au four et laisser cuire encore 20 min.

● ●

■ GARGOULLAU

- *environ 1 h*
- *4 personnes*

125 mL (1/2 tasse) de farine
45 mL (3 c. à tab.) de sucre
2 oeufs
150 mL (5/8 de tasse) de lait
2 poires bien mûres
sucre à glacer pour saupoudrer
60 mL (1/4 de tasse) de beurre

● Faire chauffer le four à 220 °C (425 °F). Tamiser la farine et le sel dans un bol, ajouter le sucre et faire un puits au centre.

Y verser les oeufs et la moitié du lait, et fouetter jusqu'à ce que la pâte soit lisse. Incorporer peu à peu le reste du lait. Laisser reposer la pâte pendant 30 min.
● Entre-temps, peler les poires, enlever le coeur et les trancher. Battre de nouveau la pâte et incorporer les poires.
● Graisser généreusement un plat allant au four de 1 L (4 1/2 tasses) avec la moitié du beurre, y verser le mélange et couvrir du reste du beurre en noisette. Faire cuire 30 min au four, jusqu'à ce que le gâteau soit doré et bien gonflé. Saupoudrer de sucre à glacer.

● ●

■ PÂTÉ BOURBONNAIS de POMMES de TERRE

- *45 min + cuisson : 1 h*
- *6 personnes*

450 g (1 lb) de farine tout usage
7 mL (1 1/2 c. à thé) de sel
175 mL (3/4 de tasse) de beurre
2 oeufs

■ GARNITURE
1 kg (2 lb) de pommes de terre à
chair ferme
sel et poivre noir fraîchement moulu
2 oignons hachés
60 mL (4 c. à tab.) de persil haché
30 mL (2 c. à tab.) de cerfeuil haché
ou 10 mL (2 c. à thé) de cerfeuil
séché
250 mL (1 tasse) de crème à 35 %,
légèrement fouettée

■ POUR LE PLAN DE TRAVAIL
30 mL (2 c. à tab.) de farine tout
usage

■ POUR LE MOULE
beurre pour graisser

● Tamiser la farine et le sel au-desus d'un bol et y incorporer le beurre coupé en dés du bout des doigts pour obtenir un mélange semblable à des miettes de pain. Casser un oeuf en séparant le blanc du jaune. Ajouter le blanc d'oeuf et l'oeuf entier ainsi que 60 mL (4 c. à tab.) d'eau froide; battre légèrement au fouet. Verser le contenu du bol dans le bol de farine et malaxer le tout, jusqu'à ce que la pâte ne colle plus sur les parois. Placer au réfrigérateur et laisser reposer pendant 20 min.

● Pendant ce temps, peler les pommes de terre et les laver. Faire bouillir une casserole d'eau salée. Y plonger les pommes de terre et les laisser cuire pendant 5 min. Bien les égoutter et les couper en rondelles.

Pâté bourbonnais de pommes de terre

● ●

● Beurrer une assiette à tarte profonde. Faire chauffer le four à 200 °C (400 °F). Fariner le plan de travail. Abaisser au rouleau les deux tiers de la pâte et en garnir la tourtière.

● Disposer environ le tiers des rondelles de pommes de terre sur le fond de tarte, saler et poivrer légèrement. Parsemer d'environ la moitié des oignons et des fines herbes. Couvrir d'un autre tiers de rondelles de pommes de terre, saler, poivrer et parsemer du reste de fines herbes et d'oignons. Recouvrir du reste des rondelles de pommes de terre. Poivrer abondamment cette dernière couche.

● Battre le jaune d'oeuf qui reste avec 15 mL (1 c. à tab.) d'eau et en enduire au pinceau le tour de la pâte. Y découper un couvercle de la taille du moule et le poser sur les pommes de terre. Presser les bords pour bien les sceller. Enduire le couvercle de jaune d'oeuf et découper 4 petites fentes à égale distance sur le dessus du pâté pour laisser passer la vapeur.

● Glisser le pâté au four et le laisser cuire pendant 25 min. Réduire alors la température à 170 °C (325 °F), et laisser encore 20 min au four.

● Lorsque le pâté est cuit, le sortir du four et agrandir légèrement les fentes avec un couteau pointu. Verser un quart de la crème dans chacune d'elles et glisser à nouveau au four. Laisser chauffer encore 10 min, ou jusqu'à ce que le dessus du pâté soit bien doré. Servir chaud.

Vous pouvez ajouter à l'oignon et aux fines herbes un peu d'ail haché et parsemer la dernière couche de pommes de terre de noisettes de beurre.

■ POTAGE au CHOU à la BOURBONNAISE

• *environ 30 min*
• *4 personnes*

30 mL (2 c. à tab.) d'huile de noix de Grenoble ou d'arachides
450 g (1 lb) de chou vert frisé, comme le chou de Milan, coupé en lanières
3 pommes de terre, coupées en dés
sel et poivre noir fraîchement moulu
75 mL (1/3 de tasse) de noix de Grenoble hachées
15 mL (1 c. à tab.) de cerfeuil frais, haché, ou 7 mL (1 1/2 c. à thé) de cerfeuil séché
4 tranches de pain de seigle

● Mettre l'huile dans une grande casserole, y ajouter le chou et les pommes de terre, remuer délicatement pour bien enrober les légumes d'huile, couvrir, placer la casserole sur feu moyen et la remuer fréquemment pendant 1 min.
● Ajouter 1 L (4 tasses) d'eau bouillante, 5 mL (1 c. à thé) de sel et les noix. Amener à ébullition, bien remuer, couvrir et faire mijoter 20 min, ou jusqu'à ce que le chou soit tendre et que les pommes de terre soient presque réduites en purée. Incorporer le cerfeuil et assaisonner de poivre; goûter avant de saler.
● Faire rôtir le pain légèrement et placer une tranche dans chaque bol à soupe. Y verser le potage et servir sans attendre.

Si l'on utilise du cerfeuil séché, l'incorporer au potage en même temps que les noix.

■ CHAUSSONS aux POIRES

- *macération : 3 h*
- *30 min + cuisson : 25 min*
- *8 chaussons*

60 mL (1/4 de tasse) de crème à 35 %
4 poires mûres et fermes
125 mL (1/2 tasse) de sucre
1 pincée de poivre blanc
fraîchement moulu
1 mL (1/4 de c. à thé) d'essence de
vanille
45 mL (3 c. à tab.) de rhum foncé
1 oeuf

■ PÂTE SUCRÉE
1 L (4 1/2 tasses) de farine
1 pincée de sel
250 mL (1 tasse) de beurre
15 mL (1 c. à tab.) de sucre

■ POUR LE PLAN DE TRAVAIL
30 mL (2 c. à tab.) de farine

● Fouetter la crème. Peler les poires, les couper en deux et en retirer le coeur et les pépins. Les couper en fines lamelles. Placer celles-ci dans un bol. Parsemer de sucre et de poivre blanc fraîchement moulu. Ajouter l'essence de vanille, le rhum et la crème. Mélanger, couvrir et laisser macérer pendant 3 h.

● Préparer la pâte : tamiser la farine et le sel au-dessus d'un bol. Y incorporer le beurre du bout des doigts jusqu'à ce que le mélange ressemble à des miettes de pain. Y verser le sucre et 60 à 75 mL (4 à 5 c. à tab.) d'eau froide. Mélanger pour obtenir une pâte ferme. La placer dans le réfrigérateur et la laisser reposer pendant 20 min.

● Faire chauffer le four à 200 °C (400 °F). Fariner le plan de travail. Partager la pâte en 8 parts égales. Abaisser chacune d'elles au rouleau à pâtisserie en ovale d'environ 18 cm (7 po) de long sur 9 cm (3 1/2 po) de large.

● Couvrir la moitié de chaque ovale avec le huitième de la préparation aux poires. Casser l'oeuf entier et le battre à la fourchette. En enduire les bords de la pâte, puis les replier de manière à enfermer le mélange.

● Poser les chaussons sur une tôle à pâtisserie et les piquer à la fourchette. Les enduire entièrement d'oeuf battu. Glisser au four et laisser cuire pendant 25 min, jusqu'à ce que les chaussons soient dorés. Servir tiède.

Chaussons
aux poires

INDEX DES RECETTES

■ Vol. 4: CHINE

■ Vol. 5: VIÊT-NAM • JAPON • THAÏLANDE • CORÉE • MALAISIE • INDONÉSIE

■ Vol. 6 : ESPAGNE • PORTUGAL • GRÈCE • ÉGYPTE • MAROC

■ Vol. 7 : LOUISIANE • CALIFORNIE • MEXIQUE • AMÉRIQUE DU SUD

■ Vol. 8 : SUD DE LA FRANCE

© MARSHALL CAVENDISH 1992.
© LES ÉDITIONS TRANSCRIPT, 395 boul. Lebeau, Saint-Laurent (Québec) H4N 1S2.
Division des Publications Transcontinental inc. Membre du Groupe Transcontinental G.T.C. ltée.

• *Directeur général* : Pierre-Louis Labelle • *Directeur du marketing* : Robert Ferland • *Secrétaire de direction* :
Dominique Denis • *Rédactrice en chef* : Danielle Champagne • *Réviseure* : Martine Gaudreault
• *Correcteurs d'épreuves* : Services d'édition Guy Connolly • *Directrice artistique* : Fabienne Léveillé
• *Infographistes* : Lan Lephan, Badin-Côté Design • *Imprimé par* Interglobe Montréal.

Dépôt légal : 4e trimestre 1992 - Bibliothèque nationale du Québec - Bibliothèque nationale du Canada